초등 수학 핵심파트 집중 완성

교과특강

초4

D2

도형 배열 규칙

에듀히어로

Edu HERO

"진짜 히어로는 우리 아이들입니다!"

에듀히어로는
우리 아이들이 밝고 건강한 내일을 꿈꿀 수 있도록
긍정적이고 효과적인 교육 서비스를 제공하는 것을
최우선 목표로 하고 있습니다.

그 존재만으로도 든든한 히어로처럼 아이들의 곁에서 힘이 되어주고,
나아가 아이들 각자가 스스로의 인생 속 히어로가 될 수 있도록

우리는 진심과 열정을 다해 아이들과 함께 할 것을 약속 드립니다.

교재 상세 소개와 진단 테스트 및 유용하게 풀 수 있는 학습 자료를 다운로드 해 보세요.

인스타그램

에듀히어로 인스타그램을 팔로우하시면 다양한 이벤트와 신간 소식을 빠르게 만나보실 수 있습니다.

카카오톡 채널

자녀 수학 공부 상담 및 자유로운 질문을 남겨 주세요. 함께 고민하고 답변해 드리겠습니다.

히어로컨텐츠 HEROCONTENS

발행일: 2023년 2월 **발행인**: 이예찬
기획개발: 두줄수학연구소
디자인: 4BD STUDIO **삽화**: 1000DAY
발행처: 히어로컨텐츠
주소: 서울특별시 금천구 서부샛길 632, 7층(대륭테크노타운5차)
전화: 02-862-2220 **팩스**: 02-862-2227
지원카페: cafe.naver.com/eduherocafe **인스타그램**: @edu__hero **카카오톡**: 에듀히어로

초등 수학 핵심파트 집중 완성 교과특강

수학을 잘 하기 위해서는 1) 수와 연산 2) 도형 3) 측정 4) 규칙성 5) 자료와 가능성 등 초등 수학 5대 학습 영역을 고르게 학습해야 합니다.

다른 교과 과목에 비해 많은 시간을 수학을 학습하는 데 할애하고 있지만 아쉽게도 대부분은 연산 영역에 편중되어 있습니다.

최근 들어 '도형' 등 연산 이외의 다른 영역으로 학습을 확장하는 교재들이 출간되고 있지만 여전히 학년별로 다양한 학습 영역과 필수 주제를 체계적으로 안내해 주는 학습지는 많지 않은 것이 현실입니다.

그런 이유로 교과특강은 학년별 필수 주제를 기본 개념부터 응용, 사고력까지 충분하게 학습하고 훈련할 수 있도록 개발되었습니다

수학을 잘 하고 싶은 학생들에게 노력한 만큼의 성장을 이루어내는 데 교과특강은 좋은 토양과 밑거름이 되어줄 것입니다.

초등 수학 핵심파트 집중 완성 교과특강은

1. '자료 해석 능력'을 집중적으로 키웁니다.

앞으로의 학습은 주어진 표와 그래프를 보고 그 의미를 해석하고 추론하는 '자료 해석 능력'을 요구합니다. 실제로 초등 전학년 뿐만 아니라 중등 과정에서도 '자료 해석'은 학습자의 문제해결력을 확인하는 중요한 소재가 되고 있습니다. 다양한 표와 그래프를 이해하고 해석하는 학습은 초등 과정부터 미리 준비하고 집중적으로 훈련할 필요가 있습니다.

2. '측정', '규칙성' 등 필수 영역임에도 쉽게 지나칠 수 있는 주제를 체계적으로 학습합니다.

길이, 무게, 시간, 어림하기 등 초등 과정에서 쉽게 지나치기 쉬운 '측정'과 추론 능력을 길러주는 '규칙성'을 집중적으로 학습합니다.

3. 복습과 예습으로 학년과 학년 사이의 징검다리 역할을 합니다.

1학년에서 2학년, 2학년에서 3학년, 3학년에서 4학년 등 학년이 올라갈수록 특정 영역에서 수학이 갑자기 어려워지는 순간이 옵니다. 교과특강은 각 학년에서 반드시 짚고 넘어가야 하는 주제를 복습하면서 다음 학년을 위한 예습까지 할 수 있도록 개발되었습니다.

4. 문제해결력과 사고력을 길러줍니다.

기본적인 개념을 바탕으로 이를 응용하고 활용하는 문제해결력과 생각하는 힘을 길러줍니다.

초등 수학 핵심파트 집중 완성 교과특강은

7세부터 6학년까지 총 7단계 21권(단계별 3권)으로 구성되어 있으며 각 권은 하루에 1장씩 주 5회, 총 4주간 체계적으로 학습할 수 있습니다.

매주 5일차의 학습이 끝난 뒤엔 '생각더하기'를 통해 창의력과 사고력을 기르고, 4주의 학습이 끝난 뒤엔 '링크'와 '형성평가'로 관련 주제를 학습하고 교과 수학을 완성할 수 있습니다.

대 상	단 계	구 성
7세 ~ 1학년	P	P1, P2, P3
1학년	A	A1, A2, A3
2학년	B	B1, B2, B3
3학년	C	C1, C2, C3
4학년	D	D1, D2, D3
5학년	E	E1, E2, E3
6학년	F	F1, F2, F3

<교과 수학 시리즈 D단계 로드맵>

에듀히어로의 교과 수학 시리즈를 체계적으로 학습하기 위한 로드맵입니다.
예습을 하며 집중적으로 학습하려면 '영역별 집중 학습'을,
교과서 진도에 맞추어 학습하려면 '교과 진도 맞춤 학습'을 권장드립니다.

[영역별 집중 학습]

1월	2월	3월	4월	5월	6월
교과연산 D0, 교과도형 D1	교과연산 D1, 교과도형 D2	교과연산 D2, 교과도형 D3	교과연산 D3, 교과특강 D1	교과특강 D2	교과특강 D3

[교과 진도 맞춤 학습]

1월	2월	3월	4월	5월	6월	7월	8월	9월	10월
교과연산 D0	교과도형 D1	교과연산 D1	교과도형 D2	교과특강 D1	교과특강 D2	교과특강 D3	교과연산 D2	교과연산 D3	교과도형 D3

교과특강은 교과 수학을 완성합니다.

주제별 학습

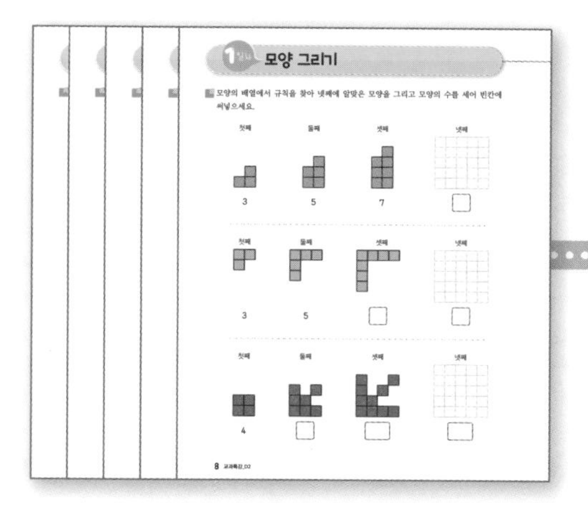

생각더하기

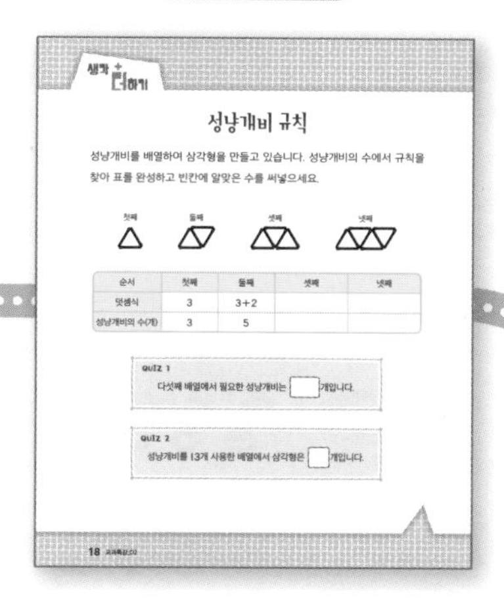

초등 수학을 주제별로 집중 학습합니다. 각 주차의 마지막에 있는 **생각더하기**로 문제해결력을 기릅니다.

링크

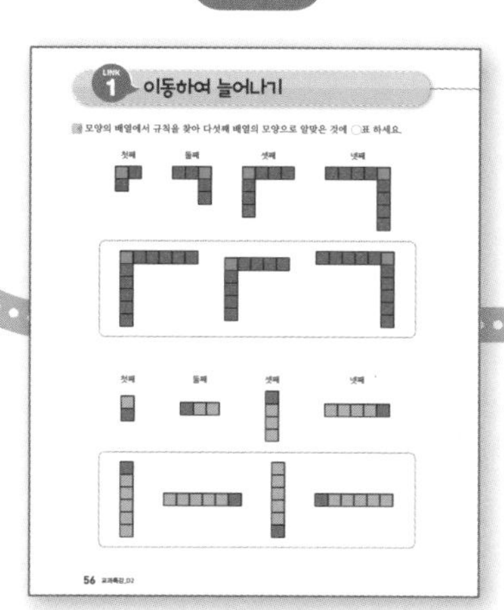

주제별 학습과 연결하여 사고력과 창의력을 향상시킬 수 있는 내용을 학습합니다.

형성평가

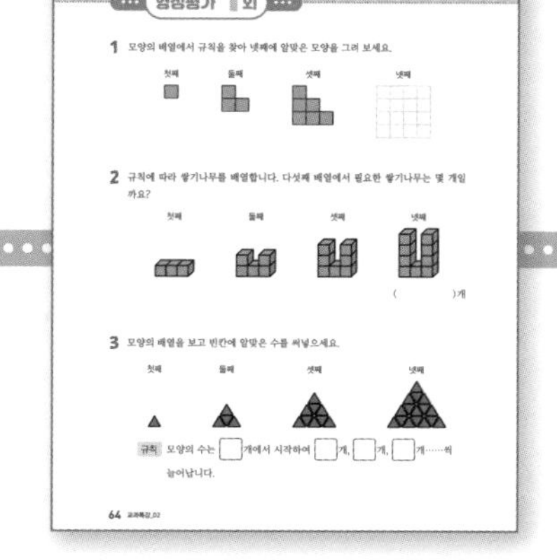

2회의 형성평가로 배운 내용을 잘 알고 있는지 확인합니다.

이 책의 차례

1 주차

일정한 증가 규칙 1

1일차 모양 그리기

모양의 배열에서 규칙을 찾아 넷째에 알맞은 모양을 그리고 모양의 수를 세어 빈칸에 써넣으세요.

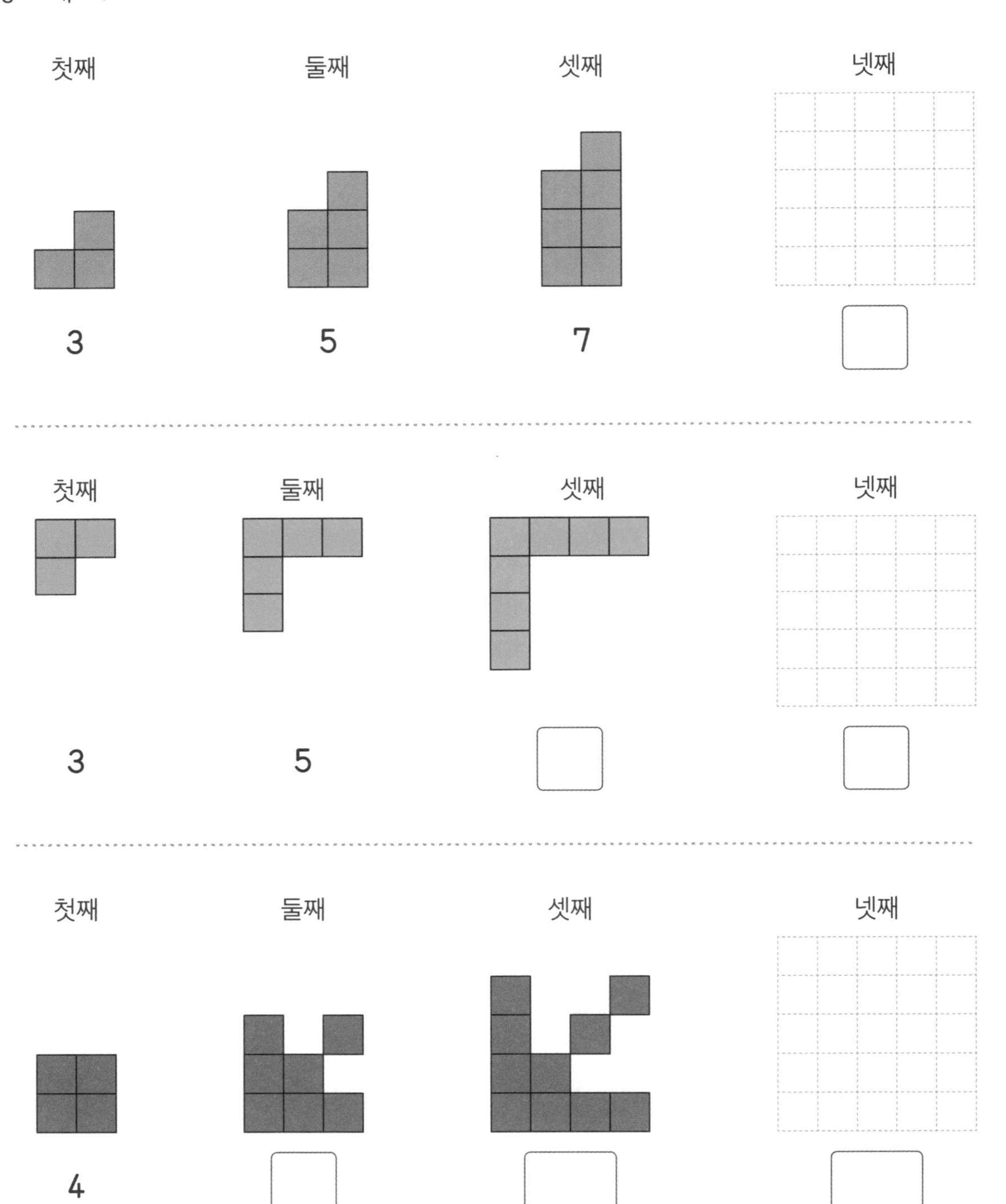

월 일

모양의 배열에서 규칙을 찾아 빈 곳에 알맞은 모양을 그리고 모양의 수를 세어 빈칸에 써넣으세요.

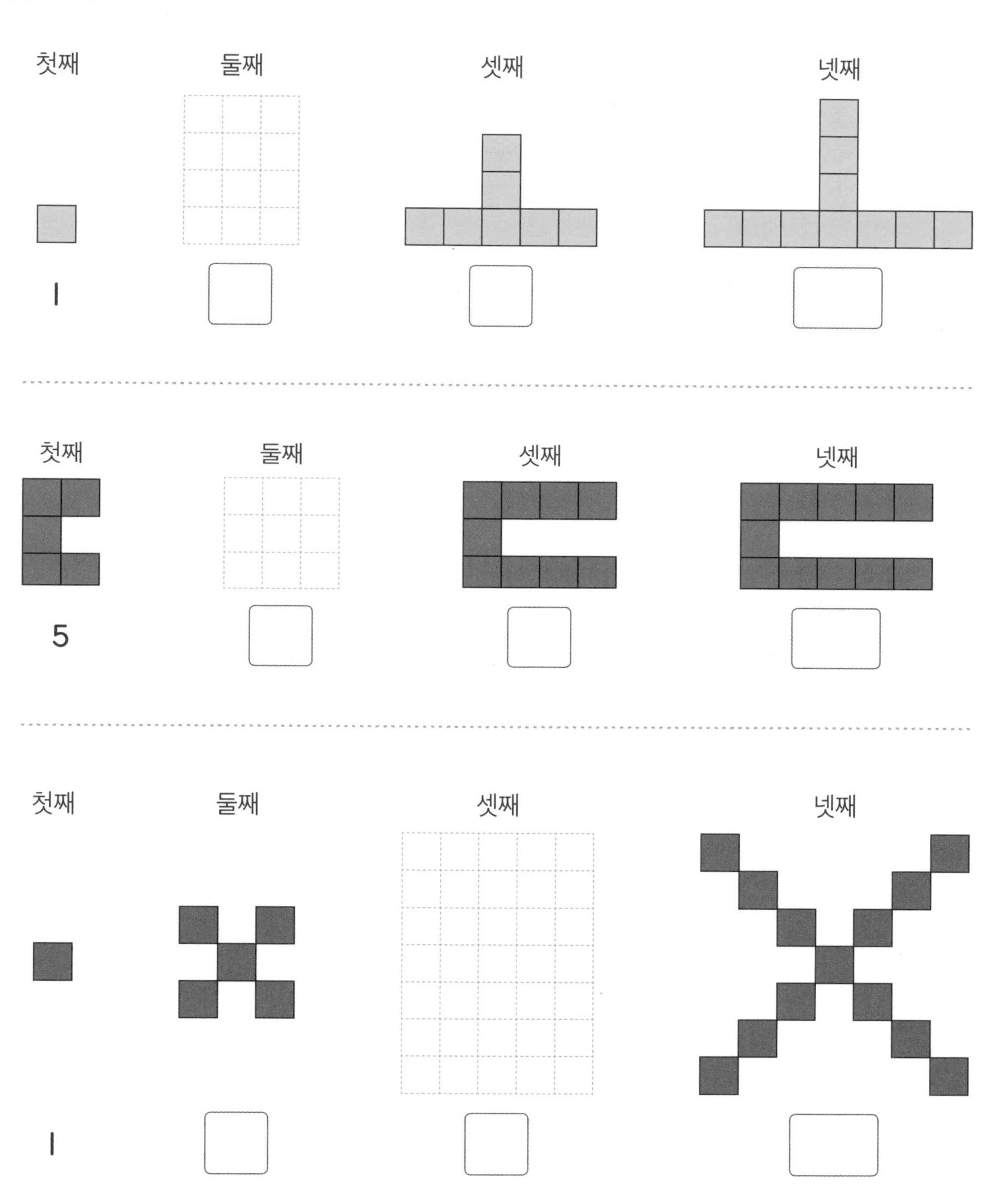

2일차 식으로 나타내기

모양의 배열에서 규칙을 찾아 표를 완성하고 빈칸에 알맞은 수를 써넣으세요.

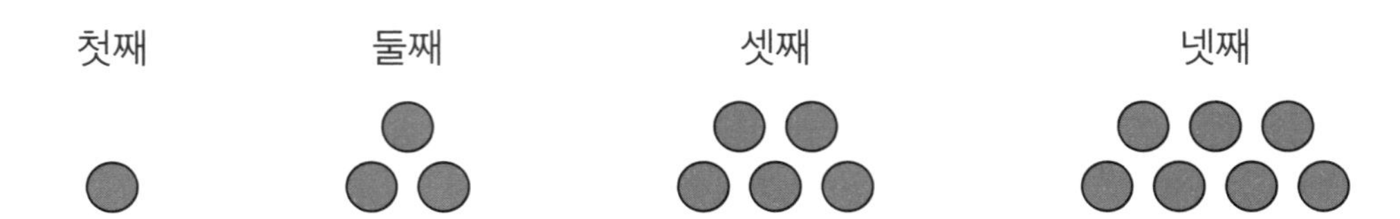

순서	첫째	둘째	셋째	넷째
덧셈식	1	1+2	1+2+2	
모양의 수(개)	1	3	5	

+2   +□   +□

전 단계에서 늘어난 모양의 개수를 살펴봅니다.

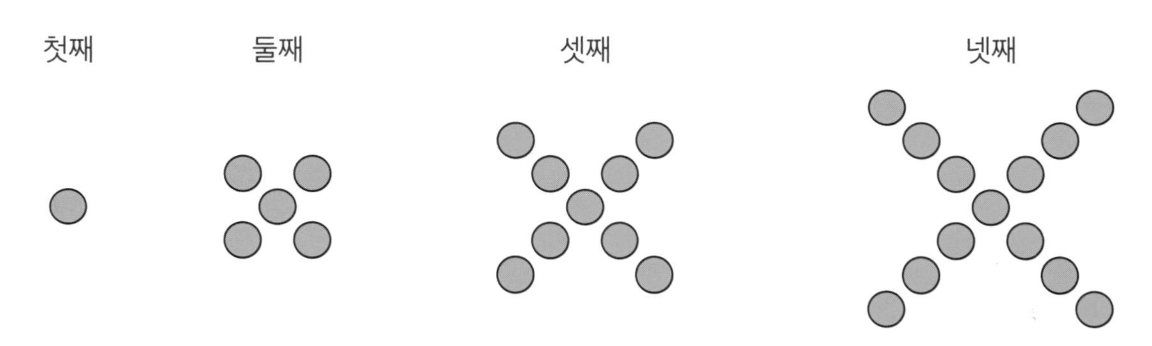

순서	첫째	둘째	셋째	넷째
덧셈식	1	1+4	1+4+4	
모양의 수(개)	1	5	9	

+□   +□   +□

모양의 배열에서 규칙을 찾아 표를 완성하고 빈칸에 알맞은 수를 써넣으세요.

첫째 둘째 셋째 넷째

순서	첫째	둘째	셋째	넷째
덧셈식	2	2+3		
모양의 수(개)	2	5		

+ □ + □ + □

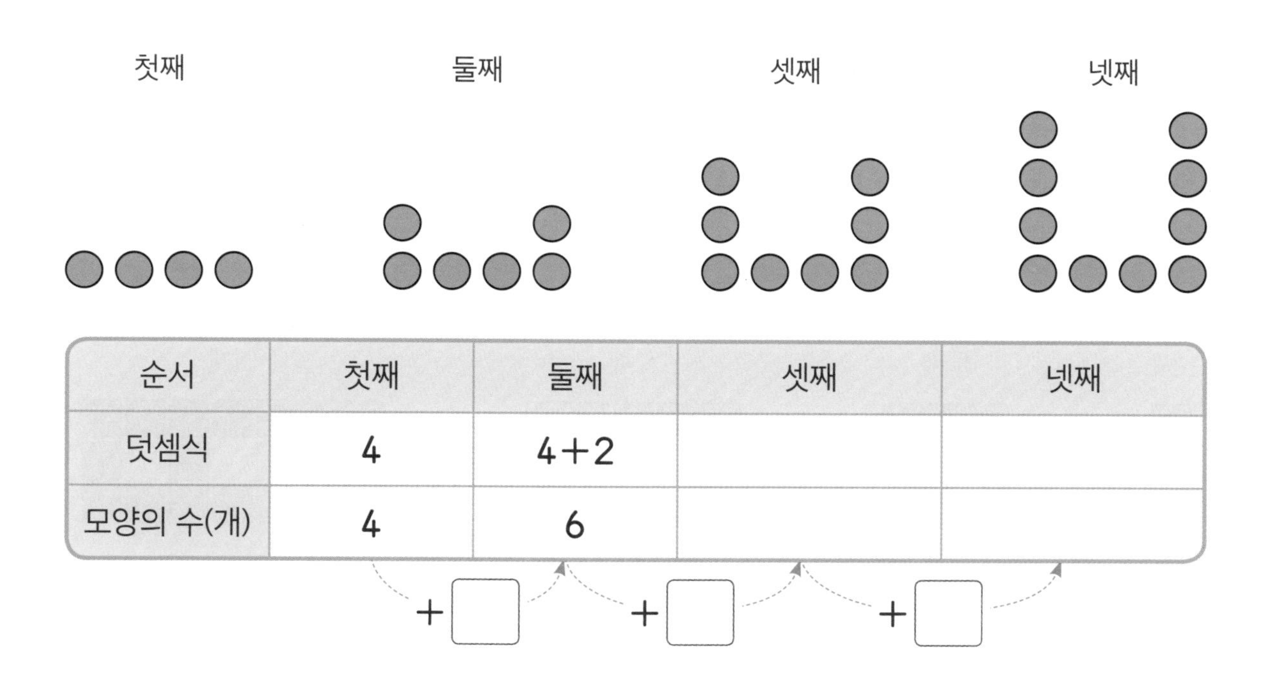

순서	첫째	둘째	셋째	넷째
덧셈식	4	4+2		
모양의 수(개)	4	6		

+ □ + □ + □

3일차 규칙 말하기

모양의 배열을 보고 모양의 수를 세어 빈칸에 알맞은 수를 써넣으세요.

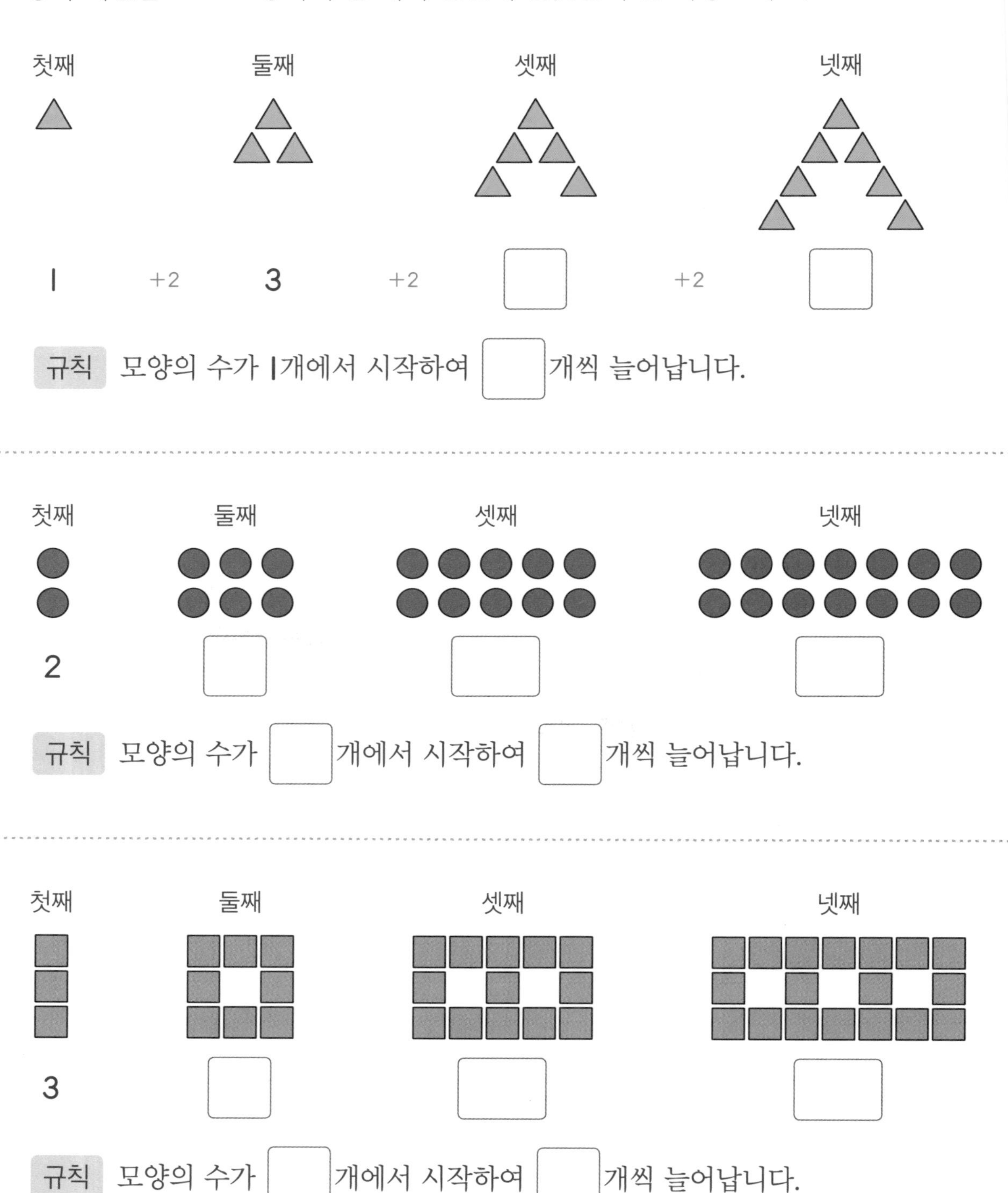

규칙 모양의 수가 1개에서 시작하여 ☐개씩 늘어납니다.

규칙 모양의 수가 ☐개에서 시작하여 ☐개씩 늘어납니다.

규칙 모양의 수가 ☐개에서 시작하여 ☐개씩 늘어납니다.

모양의 배열을 보고 넷째 모양을 그리고 모양의 수가 늘어나는 규칙을 써 보세요.

첫째 둘째 셋째 넷째

규칙

첫째 둘째 셋째 넷째

규칙

첫째 둘째 셋째 넷째

규칙

4일차 모양의 수

모양의 배열에서 규칙을 찾아 표를 완성해 보세요.

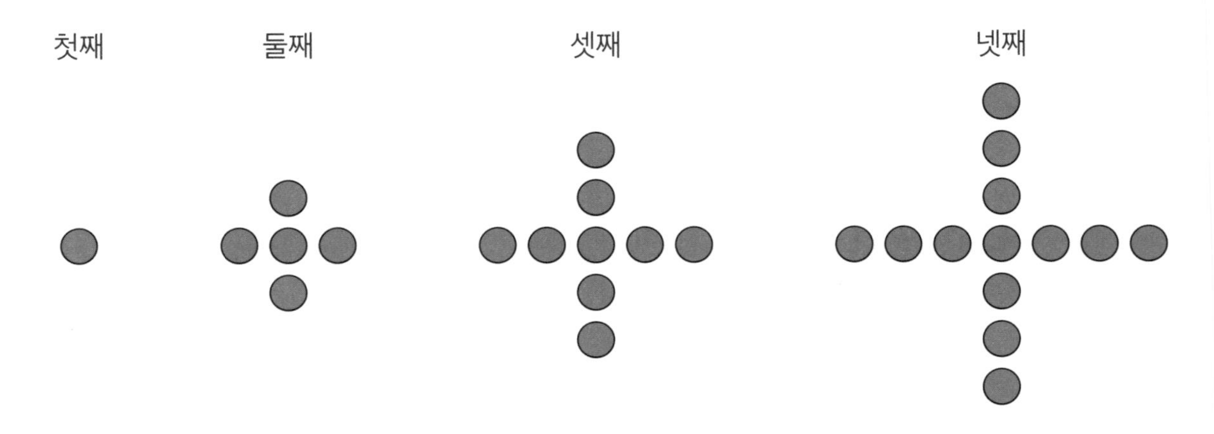

순서	첫째	둘째	셋째	넷째	다섯째	여섯째
모양의 수(개)	1	5				

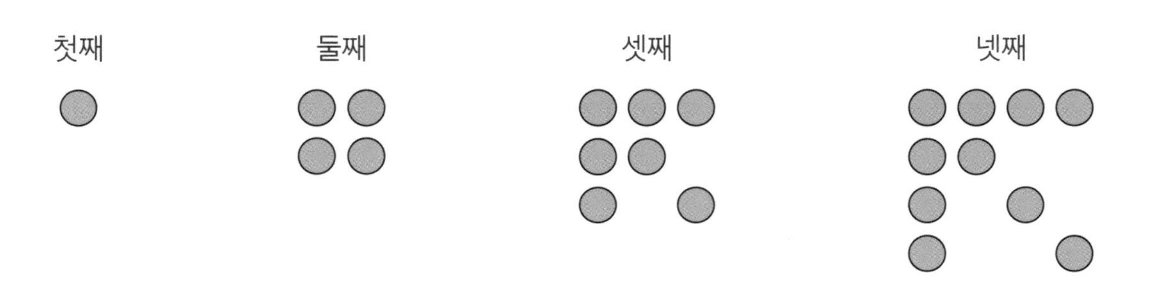

순서	첫째	둘째	셋째	넷째	다섯째	여섯째
모양의 수(개)						

물음에 답하세요.

규칙에 따라 모양을 배열합니다. 다섯째 배열에서 필요한 ■ 모양은 몇 개일까요?

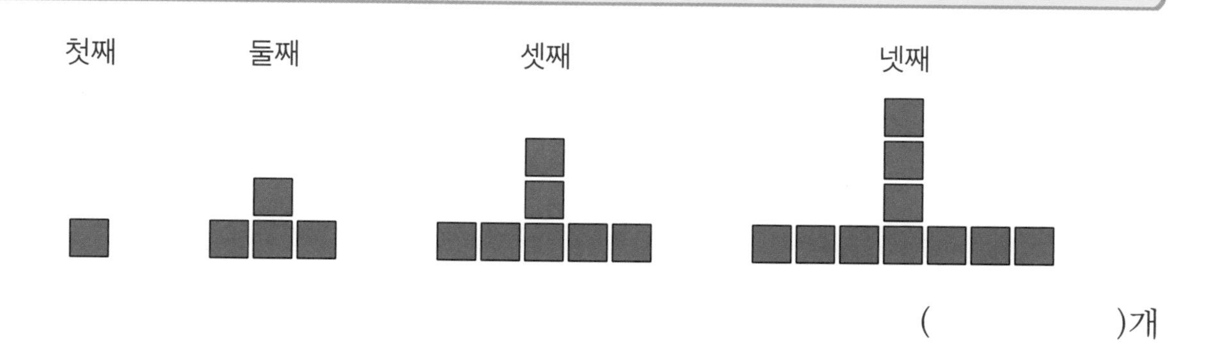

(　　　　　)개

규칙에 따라 모양을 배열합니다. 여섯째 배열에서 필요한 □ 모양은 몇 개일까요?

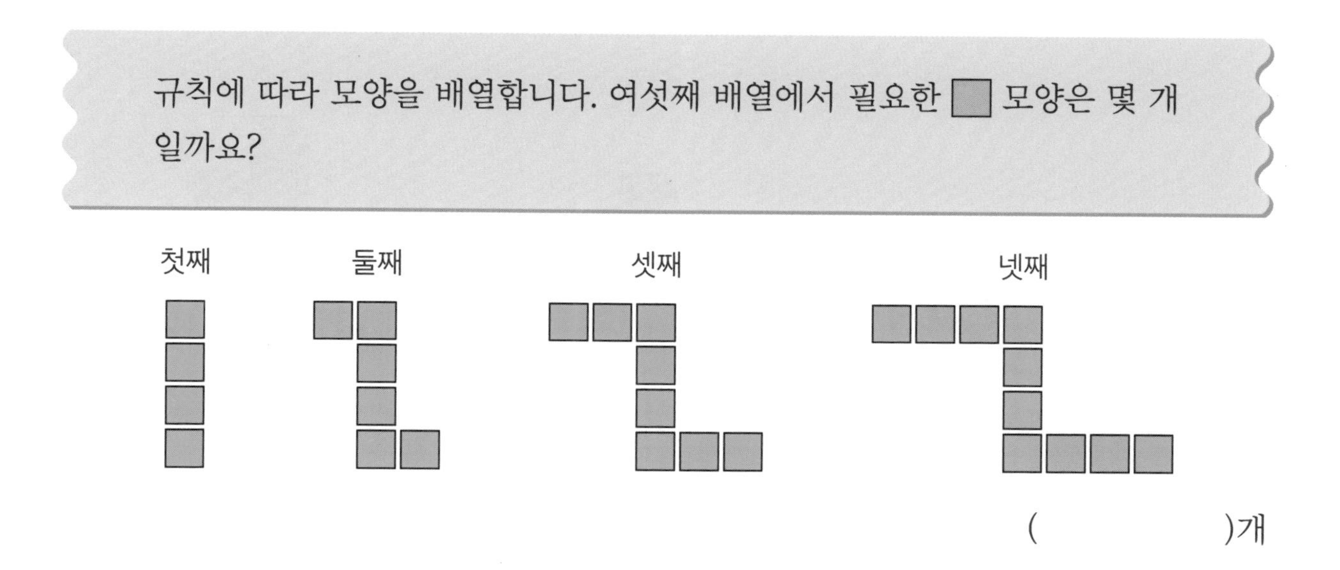

(　　　　　)개

5일차 쌓기나무의 수

쌓기나무의 배열에서 규칙을 찾아 표를 완성해 보세요.

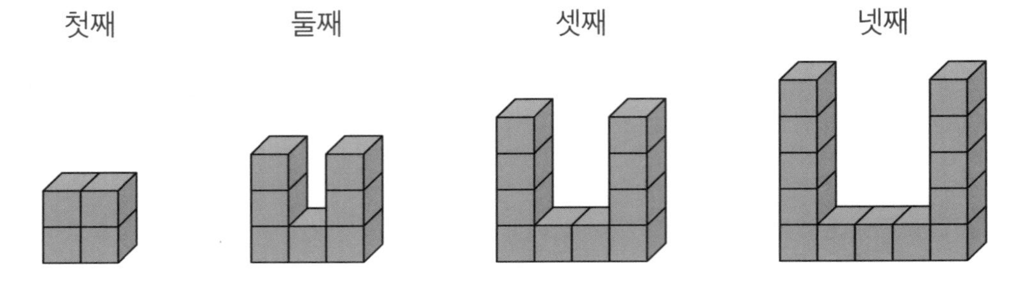

순서	첫째	둘째	셋째	넷째	다섯째	여섯째
쌓기나무의 수(개)	4	7				

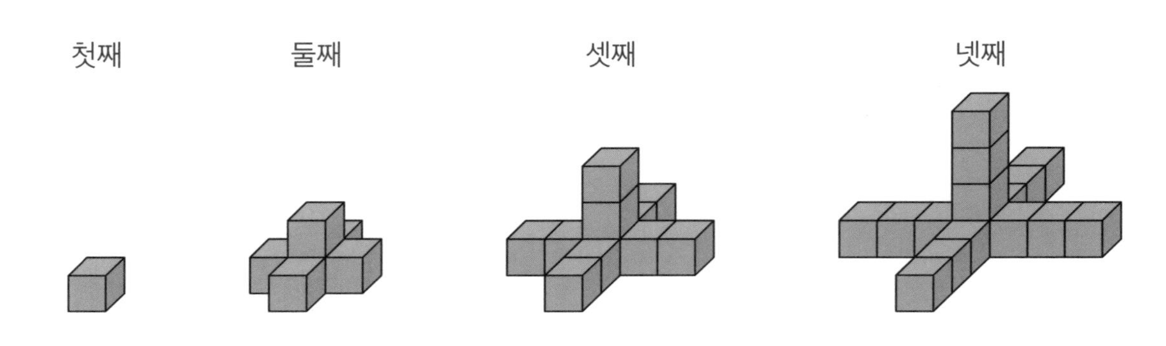

순서	첫째	둘째	셋째	넷째	다섯째	여섯째
쌓기나무의 수(개)						

물음에 답하세요.

규칙에 따라 쌓기나무를 배열합니다. 다섯째 배열에서 필요한 쌓기나무는 몇 개일까요?

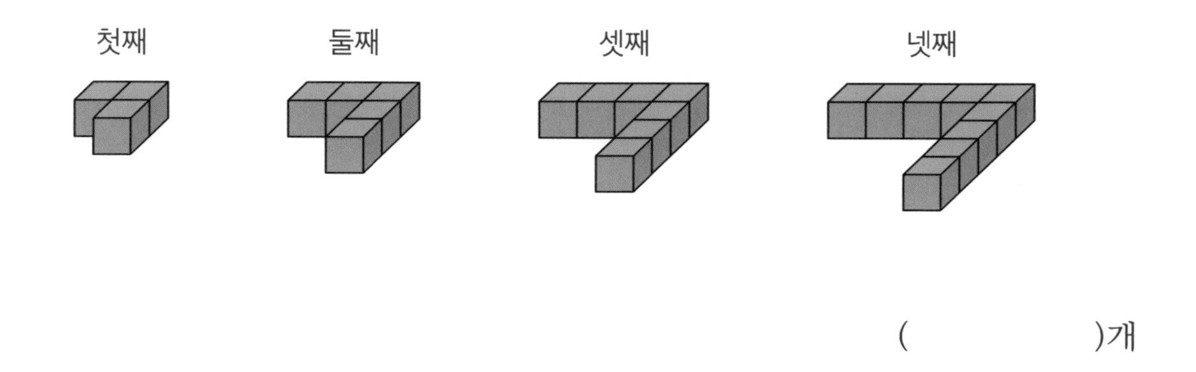

(　　　　　　)개

규칙에 따라 쌓기나무를 배열합니다. 여섯째 배열에서 필요한 쌓기나무는 몇 개일까요?

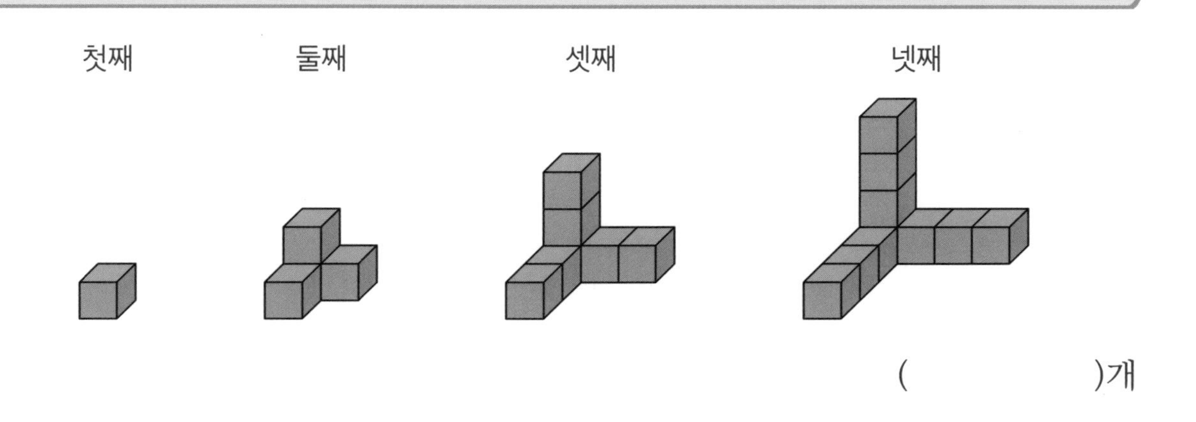

(　　　　　　)개

성냥개비 규칙

성냥개비를 배열하여 삼각형을 만들고 있습니다. 성냥개비의 수에서 규칙을 찾아 표를 완성하고 빈칸에 알맞은 수를 써넣으세요.

첫째 둘째 셋째 넷째

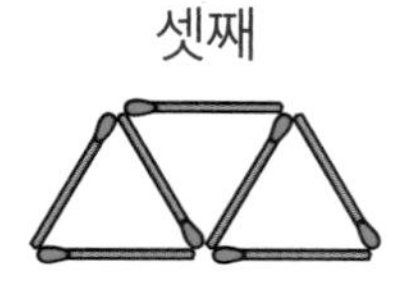

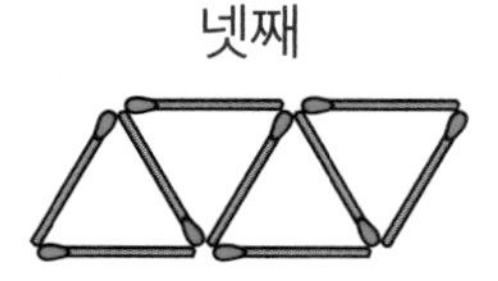

순서	첫째	둘째	셋째	넷째
덧셈식	3	3+2		
성냥개비의 수(개)	3	5		

QUIZ 1

다섯째 배열에서 필요한 성냥개비는 ☐개입니다.

QUIZ 2

성냥개비를 13개 사용한 배열에서 삼각형은 ☐개입니다.

2 주차

일정한 증가 규칙 2

1일차 모양 그리기

모양의 배열에서 규칙을 찾아 넷째에 알맞은 모양을 그리고 모양의 수를 세어 빈칸에 써넣으세요.

첫째	둘째	셋째	넷째
2	4	6	

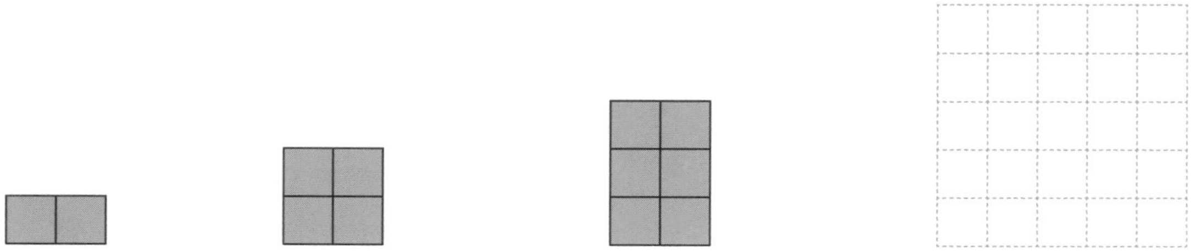

첫째	둘째	셋째	넷째
3			

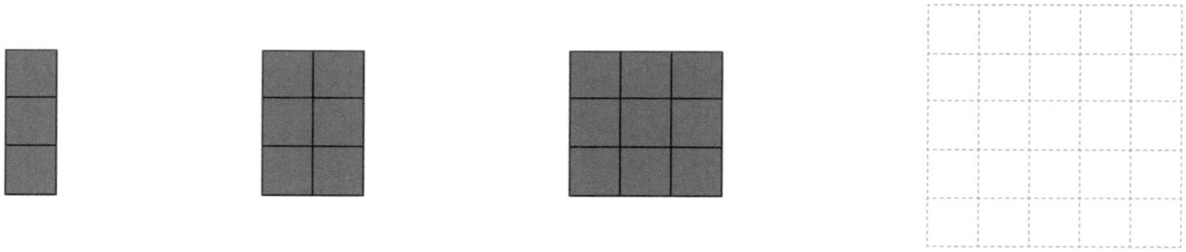

첫째	둘째	셋째	넷째
4			

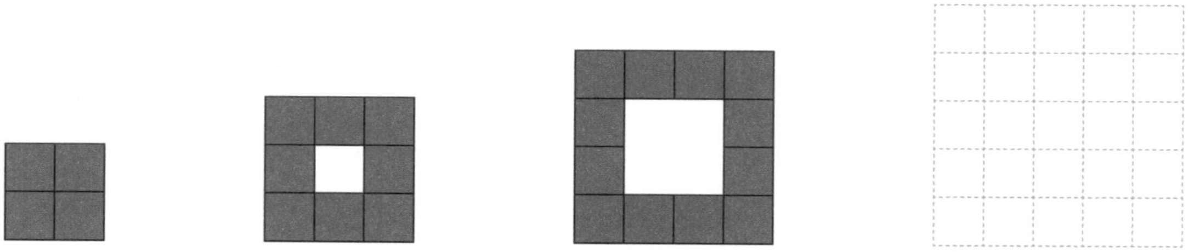

모양의 배열에서 규칙을 찾아 빈 곳에 알맞은 모양을 그리고 모양의 수를 세어 빈칸에 써넣으세요.

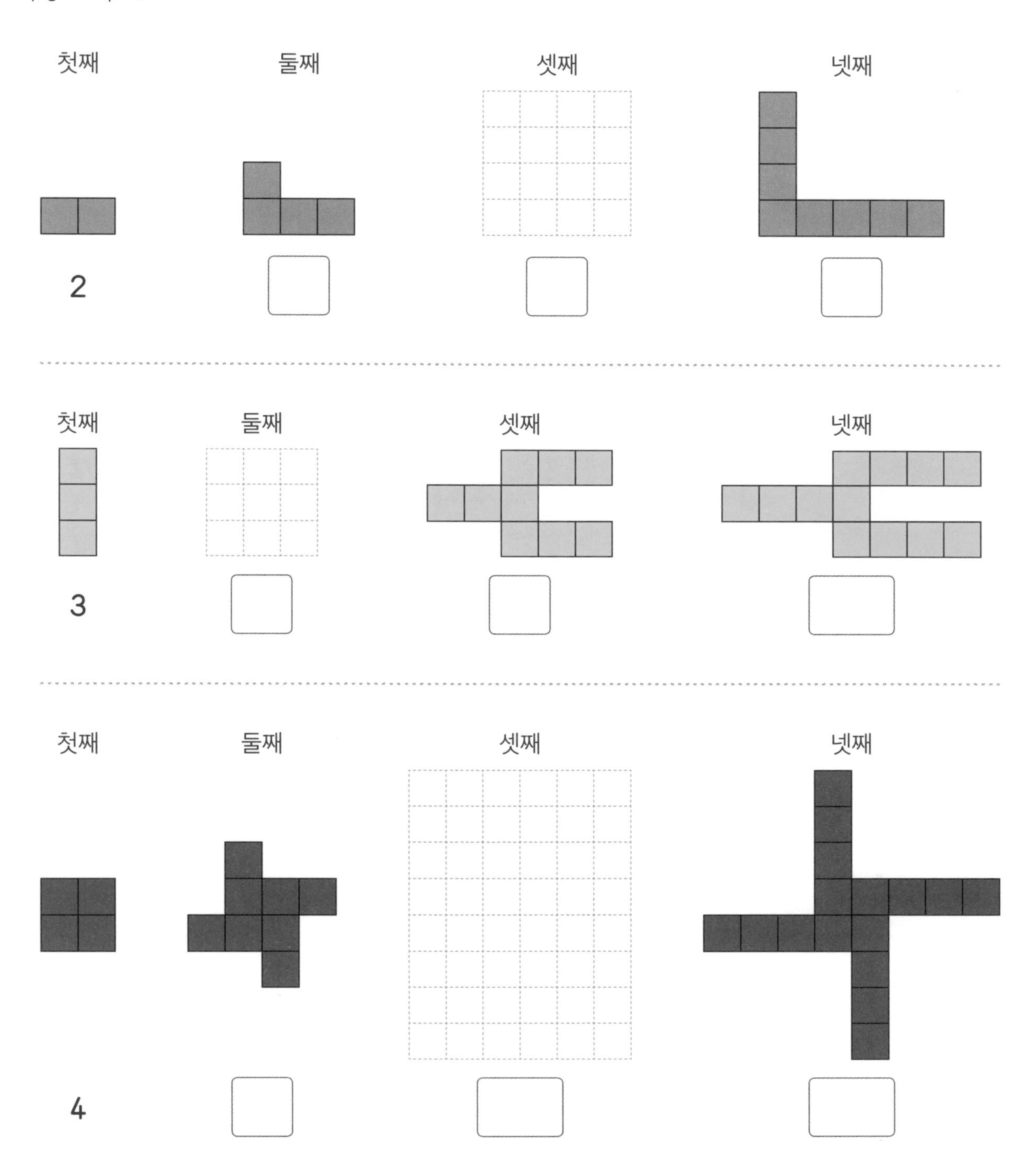

2일차 식으로 나타내기

■ 모양의 배열에서 규칙을 찾아 표를 완성하고 빈칸에 알맞은 수를 써넣으세요.

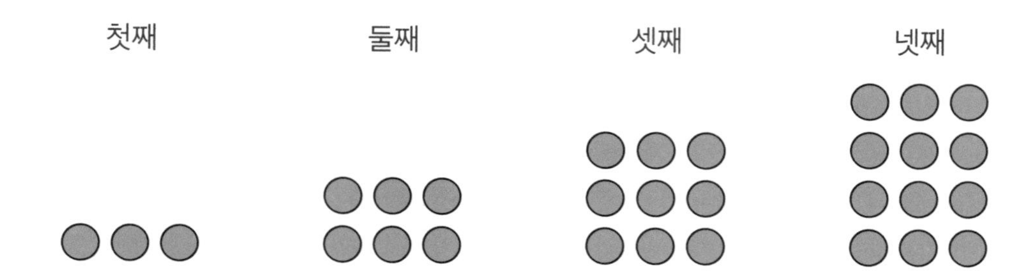

덧셈식으로 나타내기

순서	첫째	둘째	셋째	넷째
덧셈식	3	3+3		
모양의 수(개)	3	6		

+□ +□ +□

곱셈식으로 나타내기

순서	첫째	둘째	셋째	넷째
곱셈식	3×1	3×2		
모양의 수(개)	3	6		

+□ +□ +□

모양의 배열에서 규칙을 찾아 표를 완성하고 빈칸에 알맞은 수를 써넣으세요.

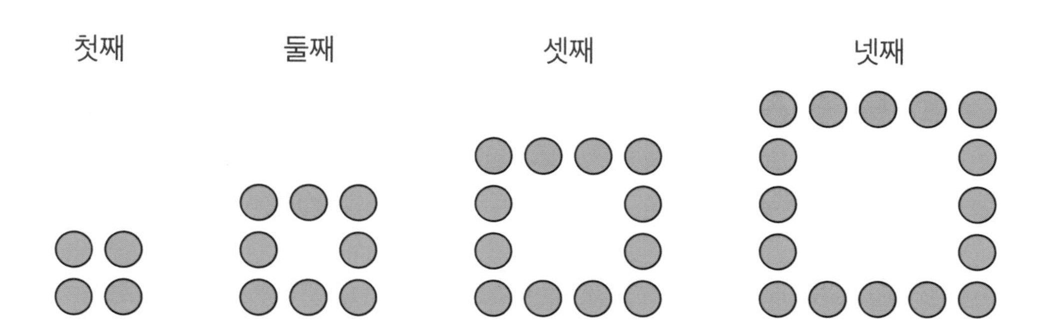

덧셈식으로 나타내기

순서	첫째	둘째	셋째	넷째
덧셈식	4	4+4		
모양의 수(개)	4	8		

+4 　 + □ 　 + □

곱셈식으로 나타내기

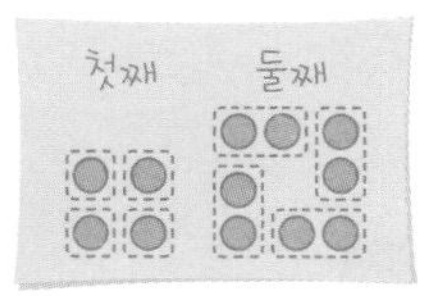

순서	첫째	둘째	셋째	넷째
곱셈식	1×4	2×4		
모양의 수(개)	4	8		

+ □ 　 + □ 　 + □

3일차 규칙 말하기

모양의 배열을 보고 모양의 수를 세어 빈칸에 알맞은 수를 써넣으세요.

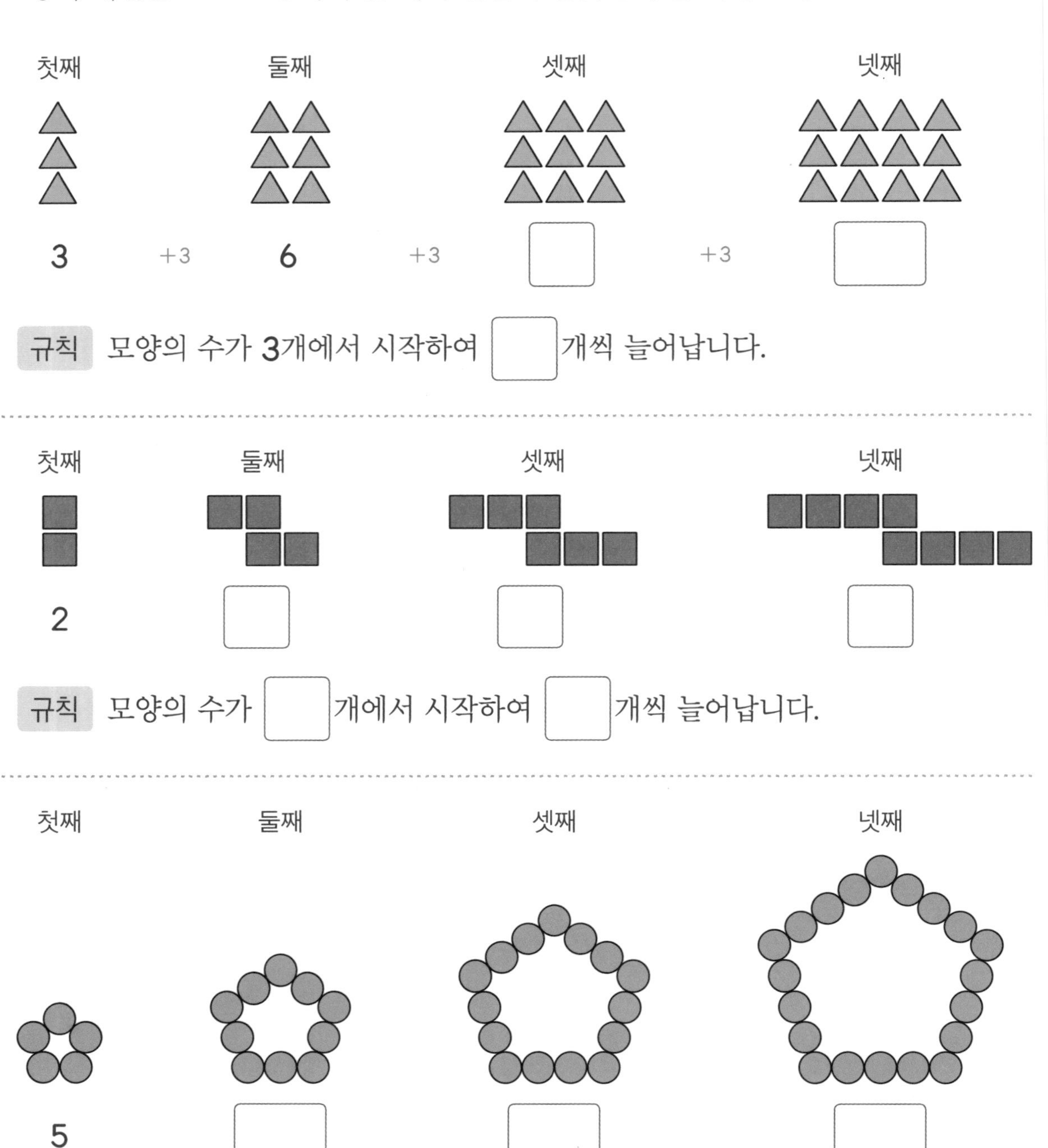

규칙 모양의 수가 3개에서 시작하여 ☐개씩 늘어납니다.

규칙 모양의 수가 ☐개에서 시작하여 ☐개씩 늘어납니다.

규칙 모양의 수가 ☐개에서 시작하여 ☐개씩 늘어납니다.

모양의 배열을 보고 넷째 모양을 그리고 모양의 수가 늘어나는 규칙을 써 보세요.

첫째 둘째 셋째 넷째

규칙

첫째 둘째 셋째 넷째

규칙

첫째 둘째 셋째 넷째

규칙

모양의 수

모양의 배열에서 규칙을 찾아 표를 완성해 보세요.

첫째	둘째	셋째	넷째

순서	첫째	둘째	셋째	넷째	다섯째	여섯째
모양의 수(개)	2	4				

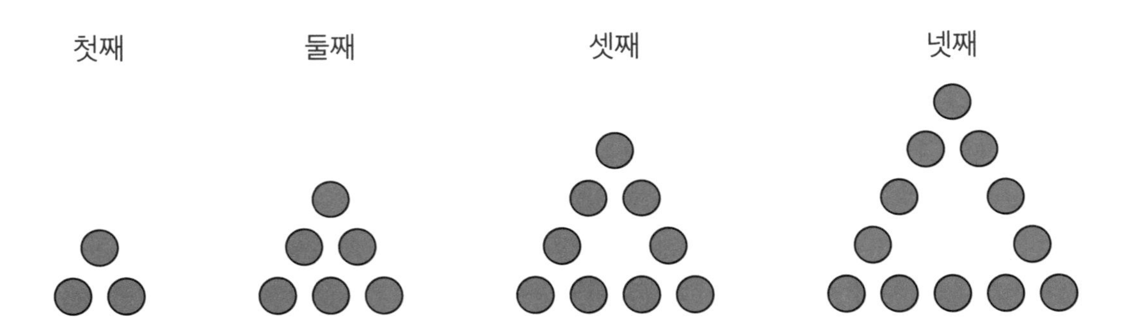

순서	첫째	둘째	셋째	넷째	다섯째	여섯째
모양의 수(개)						

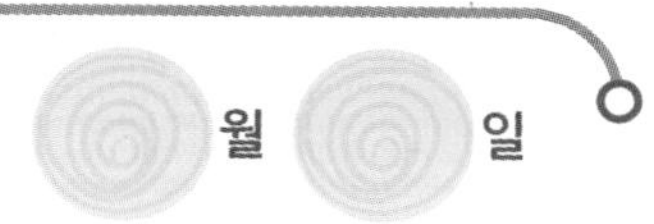

물음에 답하세요.

규칙에 따라 모양을 배열합니다. 다섯째 배열에서 필요한 ■ 모양은 몇 개일까요?

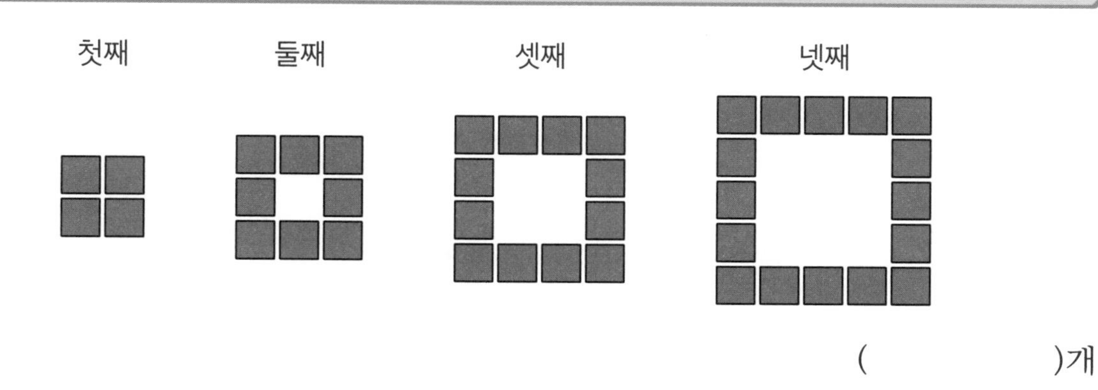

( )개

규칙에 따라 모양을 배열합니다. 여섯째 배열에서 필요한 ⬡ 모양은 몇 개일까요?

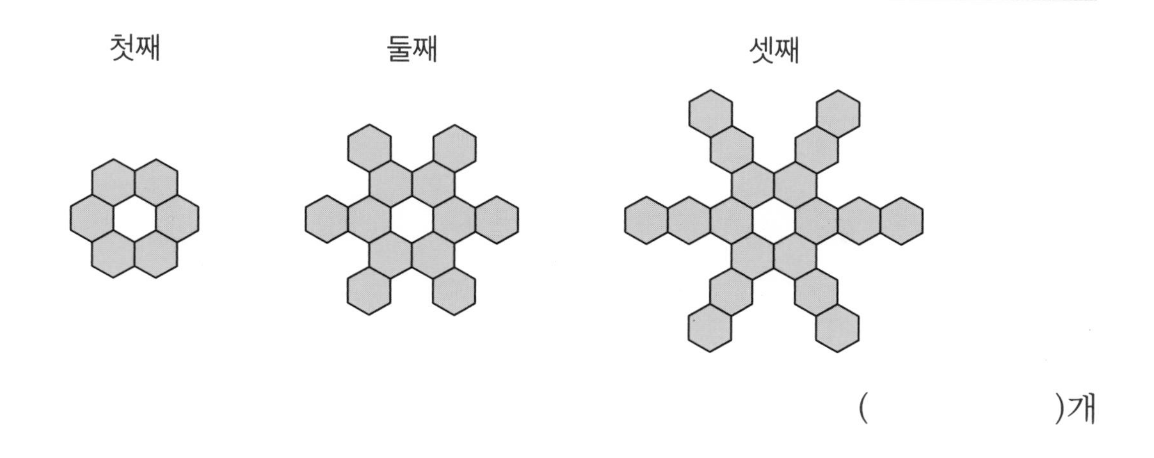

( )개

5일차 몇째 배열

물음에 답하세요.

규칙에 따라 모양을 배열합니다. 열째 배열에서 필요한 □ 모양은 몇 개일까요?

첫째 둘째 셋째 넷째

( )개

규칙에 따라 모양을 배열합니다. 열째 배열에서 필요한 ● 모양은 몇 개일까요?

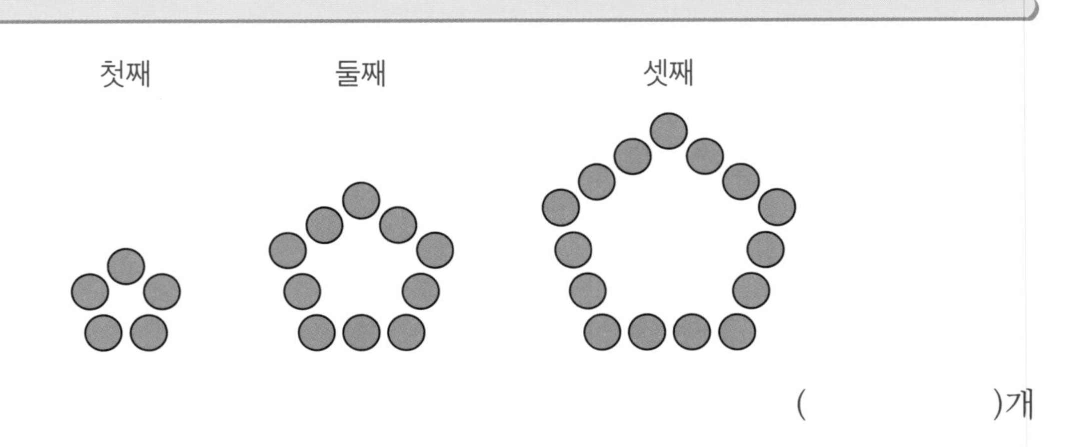

( )개

물음에 답하세요.

규칙에 따라 모양을 배열합니다. 모양의 수가 30개인 배열은 몇째 배열일까요?

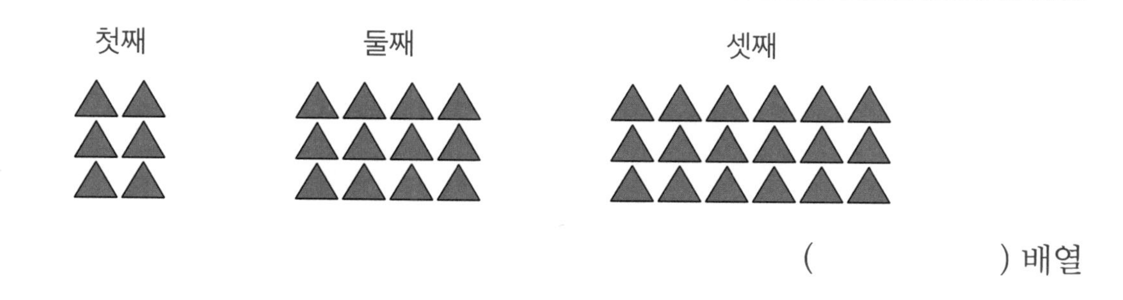

(　　　　　) 배열

규칙에 따라 모양을 배열합니다. 모양의 수가 28개인 배열은 몇째 배열일까요?

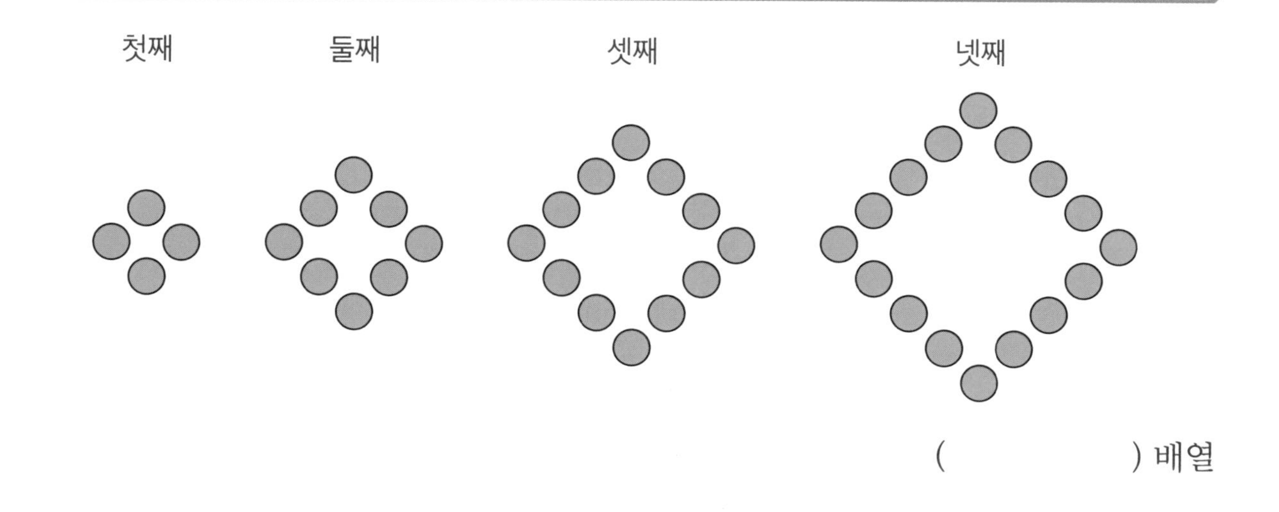

(　　　　　) 배열

시어핀스키 삼각형

삼각형의 각 변의 중심을 이어 만든 가운데 삼각형을 잘라 내는 과정을 반복하여 만든 도형을 시어핀스키 삼각형이라고 합니다. 표를 완성하여 연두색으로 채워진 삼각형의 수를 구하고 규칙을 찾아 보세요.

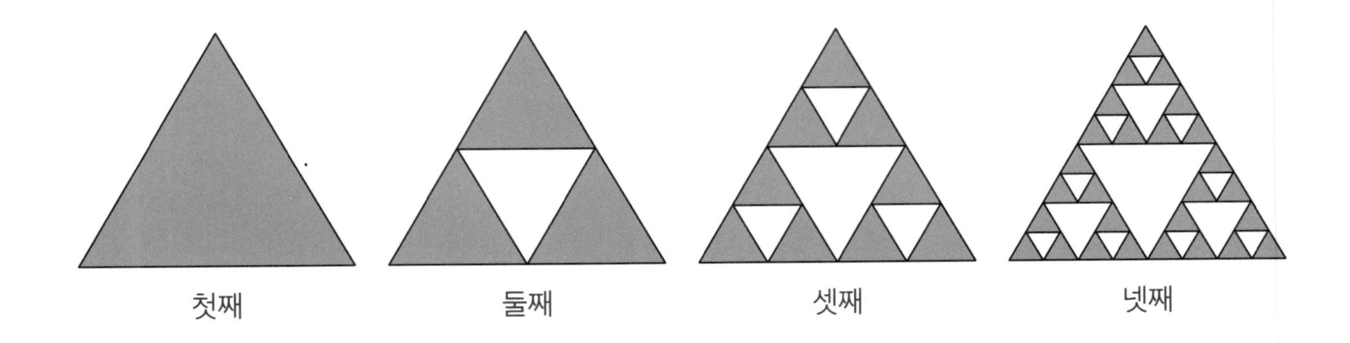

순서	첫째	둘째	셋째	넷째
삼각형의 수(개)				

규칙 삼각형의 수가 ☐개에서 시작하여 ☐배씩 늘어납니다.

3 주차

늘어나는 수의 규칙

1일차 모양 그리기

모양의 배열에서 규칙을 찾아 넷째에 알맞은 모양을 그리고 모양의 수를 세어 빈칸에 써넣으세요.

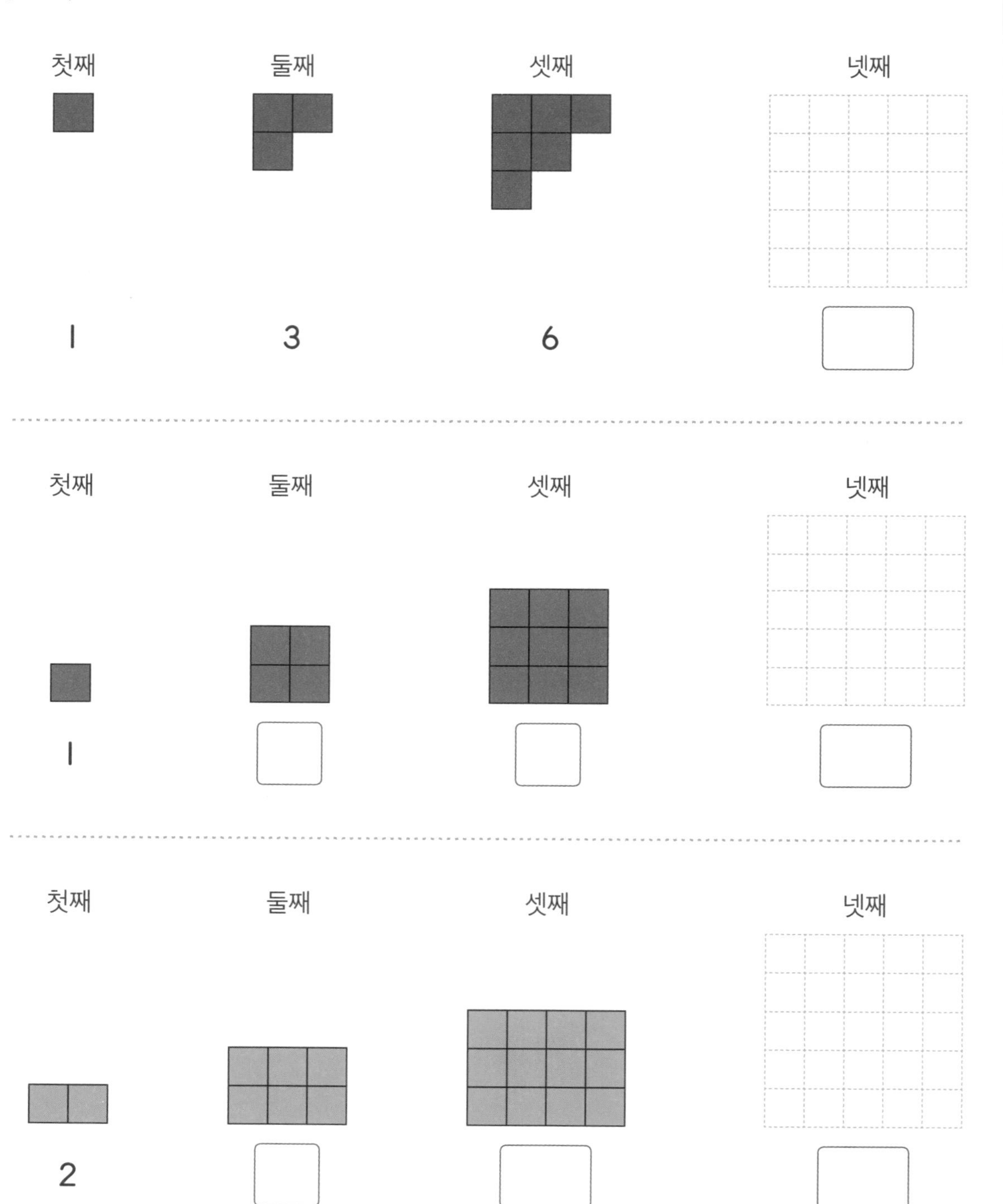

모양의 배열에서 규칙을 찾아 빈 곳에 알맞은 모양을 그리고 모양의 수를 세어 빈칸에 써넣으세요.

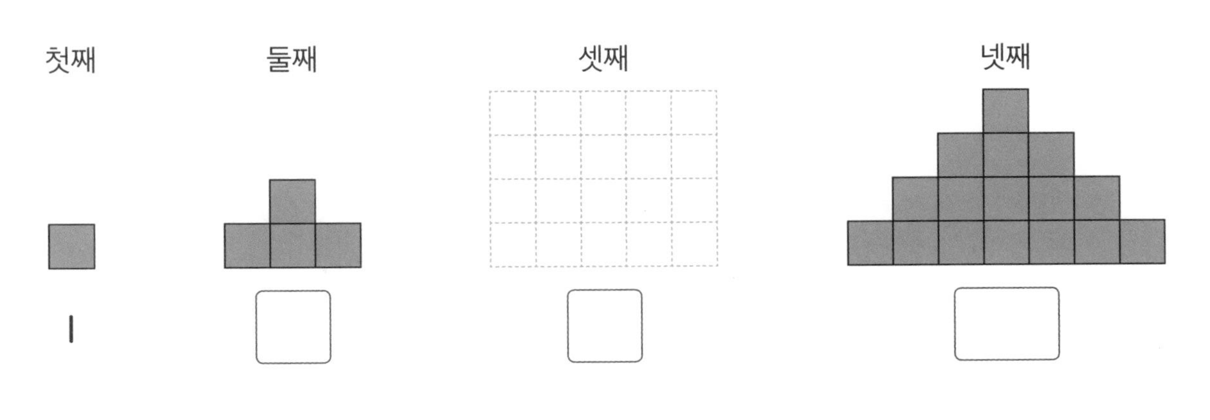

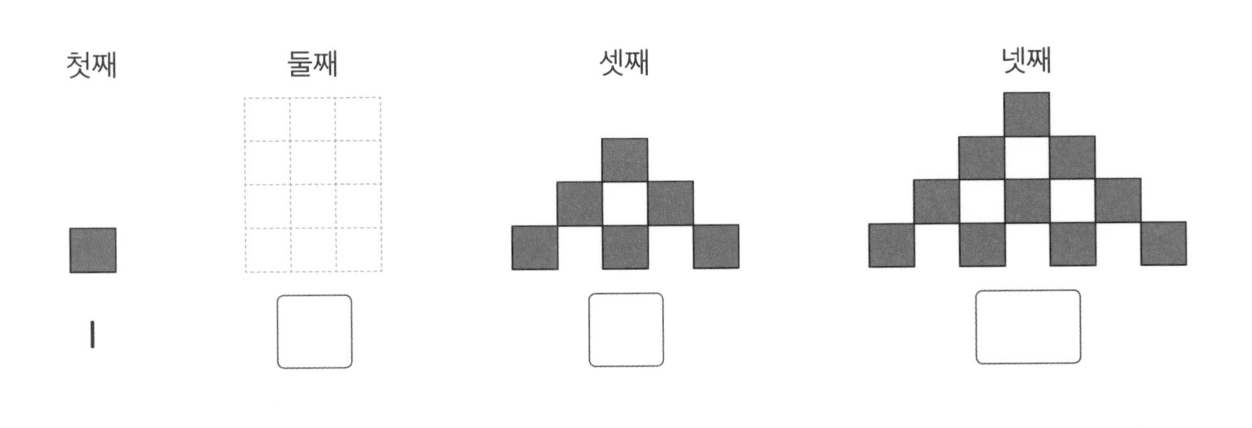

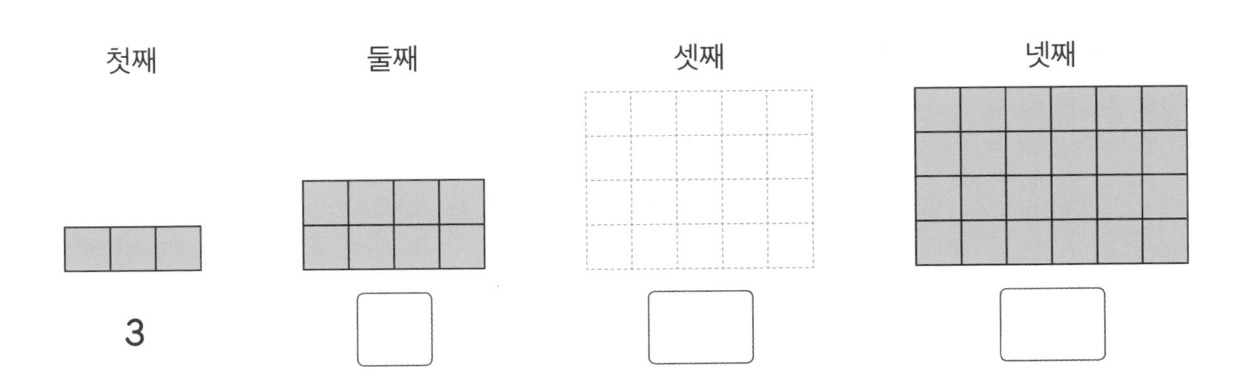

2일차 식으로 나타내기 (1)

모양의 배열에서 규칙을 찾아 표를 완성하고 빈칸에 알맞은 수를 써넣으세요.

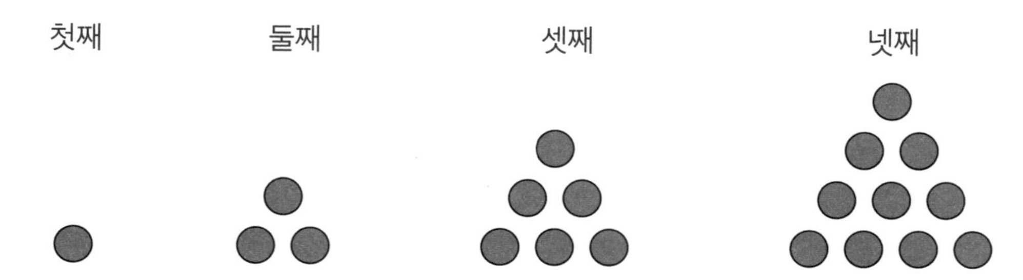

순서	첫째	둘째	셋째	넷째
덧셈식	1	1+2	1+2+3	
모양의 수(개)	1	3	6	

+2 　 + □ 　 + □

모양의 수가 1개에서 시작하여 2개, 3개, 4개……씩 늘어나므로 늘어나는 모양의 수가 1개씩 늘어납니다.

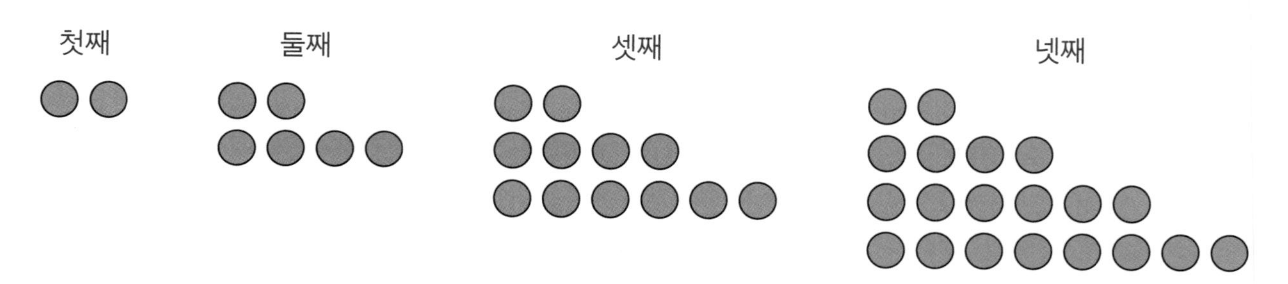

순서	첫째	둘째	셋째	넷째
덧셈식	2	2+4	2+4+6	
모양의 수(개)	2	6	12	

+ □ 　 + □ 　 + □

모양의 배열에서 규칙을 찾아 표를 완성하고 빈칸에 알맞은 수를 써넣으세요.

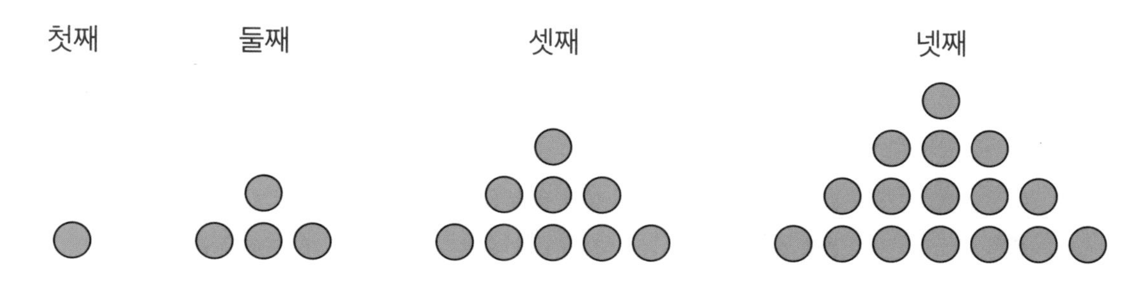

순서	첫째	둘째	셋째	넷째
덧셈식	1	1+3		
모양의 수(개)	1	4		

+ □ + □ + □

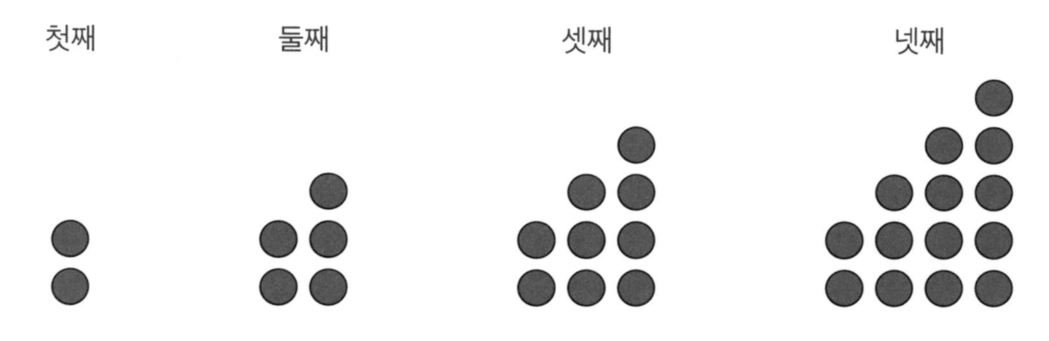

순서	첫째	둘째	셋째	넷째
덧셈식	2	2+3		
모양의 수(개)	2	5		

+ □ + □ + □

3일차 식으로 나타내기 (2)

모양의 배열에서 규칙을 찾아 표를 완성하고 빈칸에 알맞은 수를 써넣으세요.

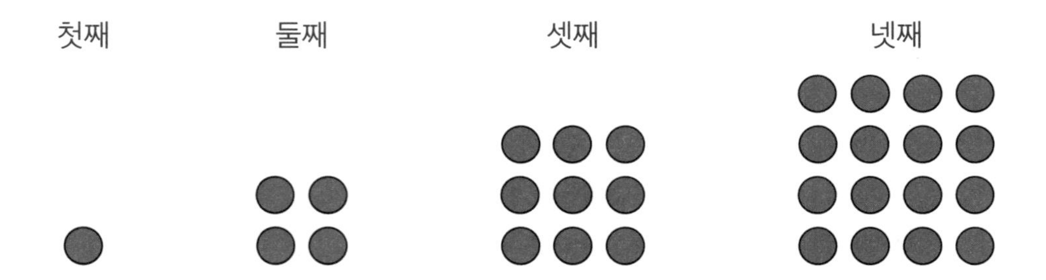

늘어나는 모양의 수를 보고 덧셈식으로, 전체 모양을 보고 곱셈식으로 나타내어 봅니다.

덧셈식으로 나타내기

순서	첫째	둘째	셋째	넷째
덧셈식	1	1+3		
모양의 수(개)	1	4		

+□ +□ +□

곱셈식으로 나타내기

순서	첫째	둘째	셋째	넷째
곱셈식	1×1	2×2		
모양의 수(개)	1	4		

+□ +□ +□

월 일

모양의 배열에서 규칙을 찾아 표를 완성하고 빈칸에 알맞은 수를 써넣으세요.

첫째 둘째 셋째 넷째

덧셈식으로 나타내기

순서	첫째	둘째	셋째	넷째
덧셈식	2	2+4		
모양의 수(개)	2	6		

+ □ + □ + □

곱셈식으로 나타내기

순서	첫째	둘째	셋째	넷째
곱셈식	2×1	3×2		
모양의 수(개)	2	6		

+ □ + □ + □

4일차 규칙 말하기

모양의 배열을 보고 모양의 수를 세어 빈칸에 알맞은 수를 써넣으세요.

첫째 둘째 셋째 넷째

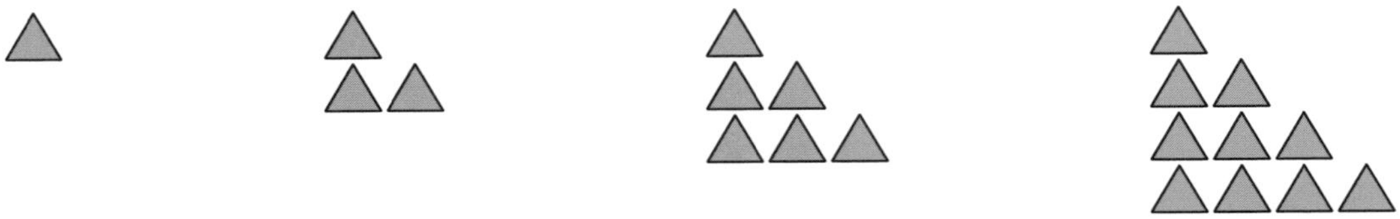

1 +2 3 +3 □ +4 □

규칙 모양의 수가 □개에서 시작하여 2개, 3개, 4개……씩 늘어납니다.

첫째 둘째 셋째 넷째

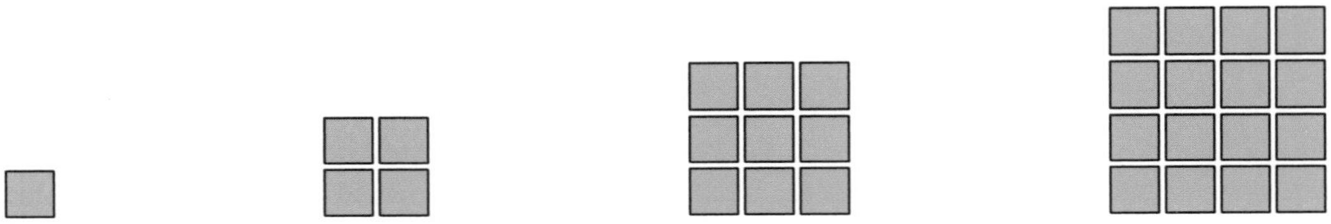

1 □ □ □

규칙 모양의 수가 1개에서 시작하여 □개, □개, □개……씩 늘어납니다.

첫째 둘째 셋째 넷째

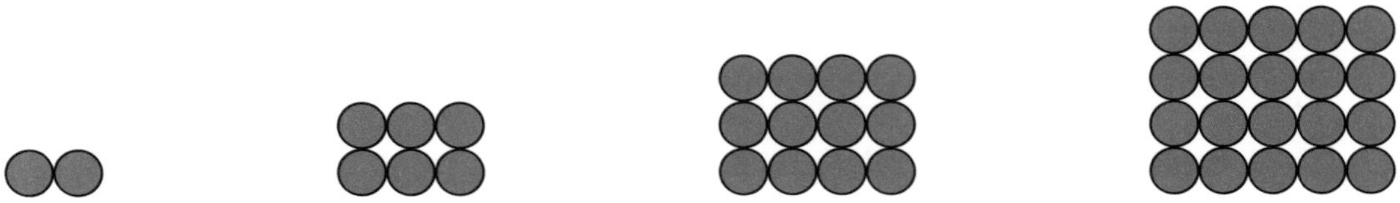

2 □ □ □

규칙 모양의 수가 □개에서 시작하여 □개, □개, □개……씩 늘어납니다.

모양의 배열을 보고 넷째 모양을 그리고 모양의 수가 늘어나는 규칙을 써 보세요.

첫째 둘째 셋째 넷째

규칙

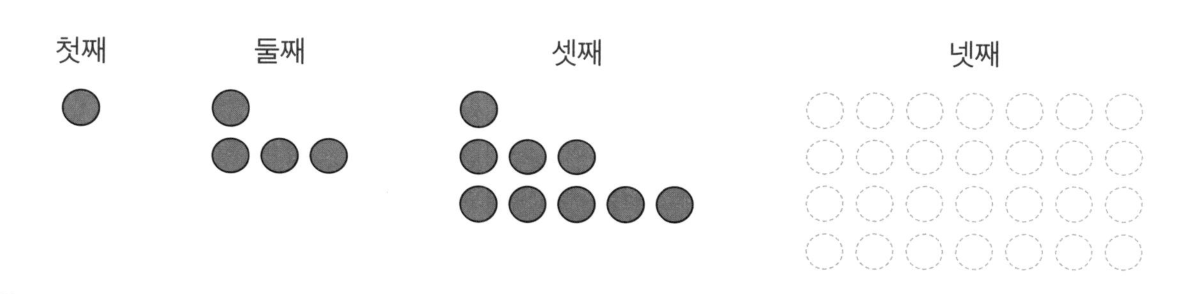

규칙

첫째 둘째 셋째 넷째

규칙

5일차 모양의 수

모양의 배열에서 규칙을 찾아 표를 완성해 보세요.

첫째 둘째 셋째 넷째

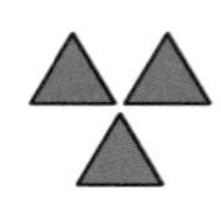
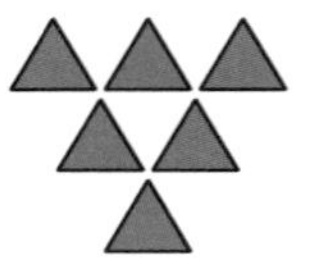

순서	첫째	둘째	셋째	넷째	다섯째	여섯째
모양의 수(개)	1	3				

첫째 둘째 셋째 넷째

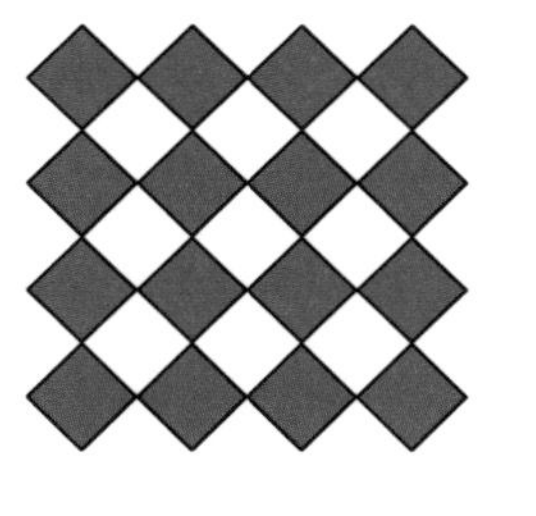

순서	첫째	둘째	셋째	넷째	다섯째	여섯째
모양의 수(개)						

월 일

물음에 답하세요.

규칙에 따라 모양을 배열합니다. 다섯째 배열에서 필요한 ■ 모양은 몇 개 일까요?

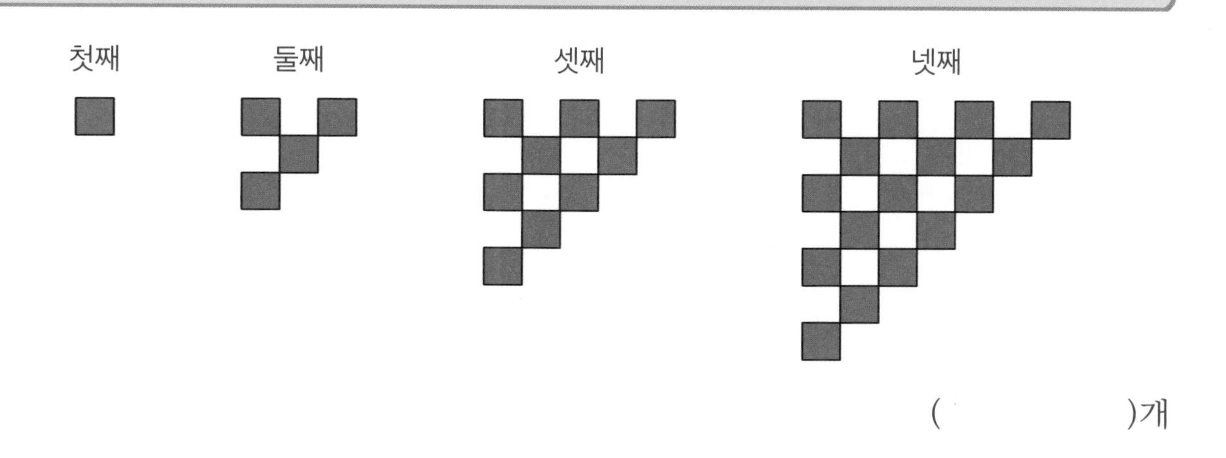

( )개

규칙에 따라 모양을 배열합니다. 여섯째 배열에서 필요한 ■ 모양은 몇 개 일까요?

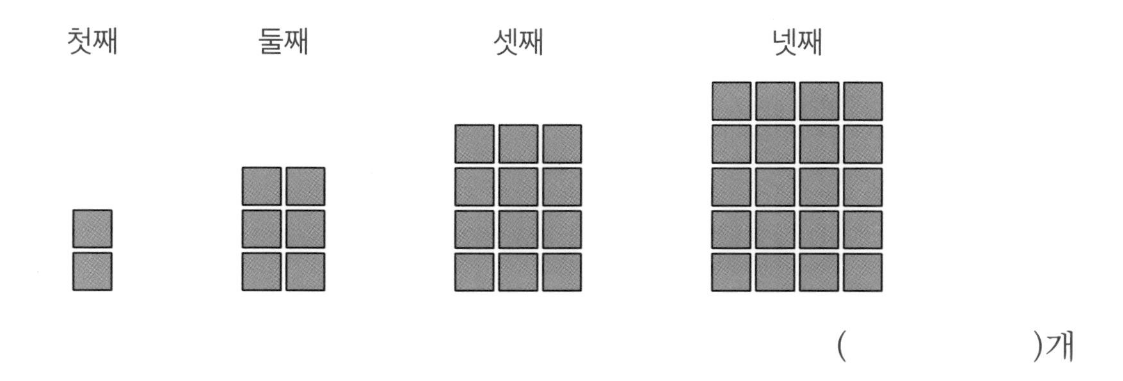

( )개

쌓기나무 규칙

규칙에 따라 쌓기나무를 배열합니다. 층별로 쌓기나무의 수를 곱셈식으로 나타내고 다섯째 배열에서 필요한 쌓기나무의 수를 구해 보세요.

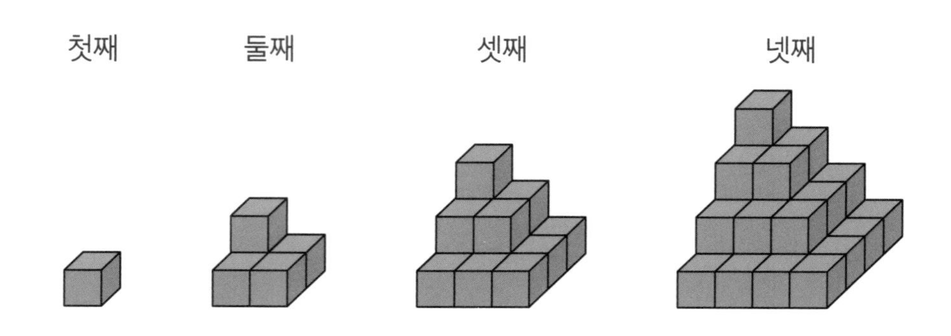

순서	첫째	둘째	셋째	넷째
4층 곱셈식				
3층 곱셈식				
2층 곱셈식		1×1		
1층 곱셈식	1×1	2×2		
쌓기나무의 수(개)	1	5		

다섯째 배열에서 필요한 쌓기나무의 수: [ ] 개

4 주차

바둑돌 규칙

1일차

두 가지 규칙

바둑돌의 배열을 보고 넷째에 알맞은 바둑돌을 그리고 빈칸에 알맞은 수를 써넣으세요.

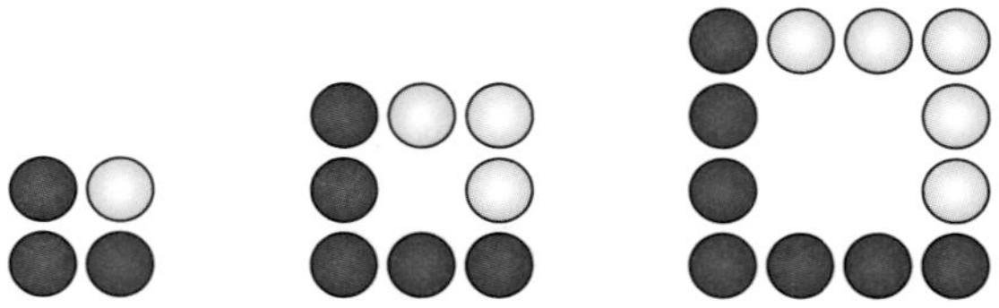

	첫째	둘째	셋째	넷째
흰색 바둑돌의 수(개)	1	3		
검은색 바둑돌의 수(개)	3	5		

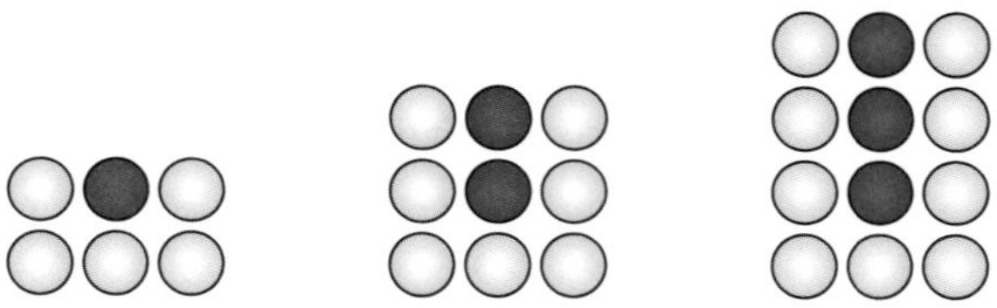

	첫째	둘째	셋째	넷째
흰색 바둑돌의 수(개)	5			
검은색 바둑돌의 수(개)	1			

월 일

바둑돌의 배열을 보고 넷째에 알맞은 바둑돌을 그리고 빈칸에 알맞은 수를 써넣으세요.

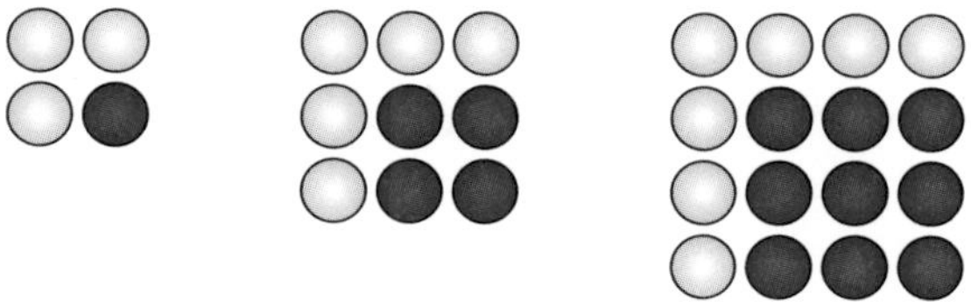

	첫째	둘째	셋째	넷째
흰색 바둑돌의 수(개)				
검은색 바둑돌의 수(개)				

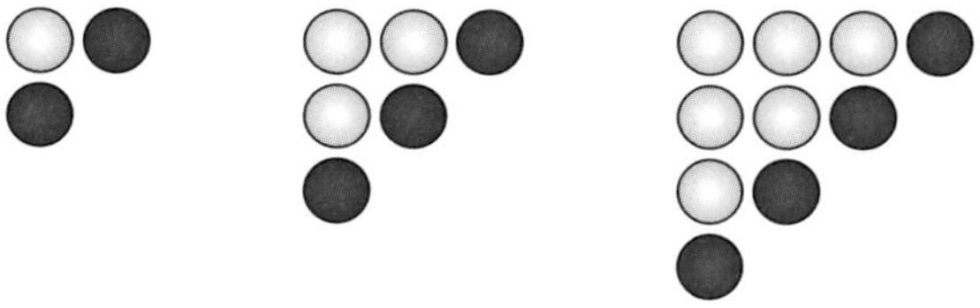

	첫째	둘째	셋째	넷째
흰색 바둑돌의 수(개)				
검은색 바둑돌의 수(개)				

2일차 식으로 나타내기

바둑돌의 배열에서 규칙을 찾아 표를 완성하고 빈칸에 알맞은 수를 써넣으세요.

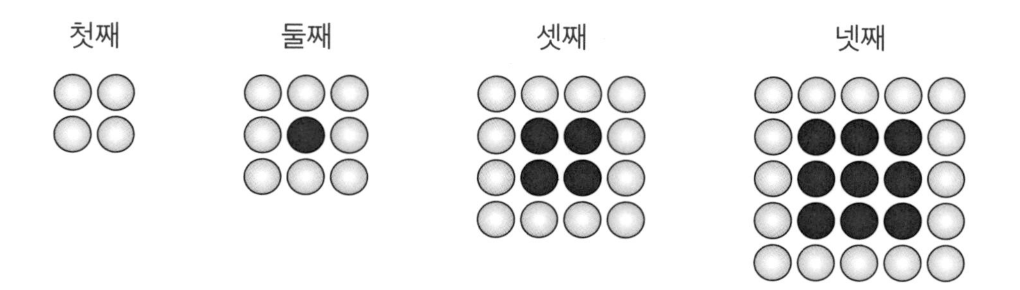

흰색 바둑돌

순서	첫째	둘째	셋째	넷째
덧셈식	4	4+4		
흰색 바둑돌의 수(개)	4	8		

+ □ + □ + □

검은색 바둑돌

순서	첫째	둘째	셋째	넷째
곱셈식	0	1×1		
검은색 바둑돌의 수(개)	0	1		

+ □ + □ + □

월 일

바둑돌의 배열에서 규칙을 찾아 표를 완성하고 빈칸에 알맞은 수를 써넣으세요.

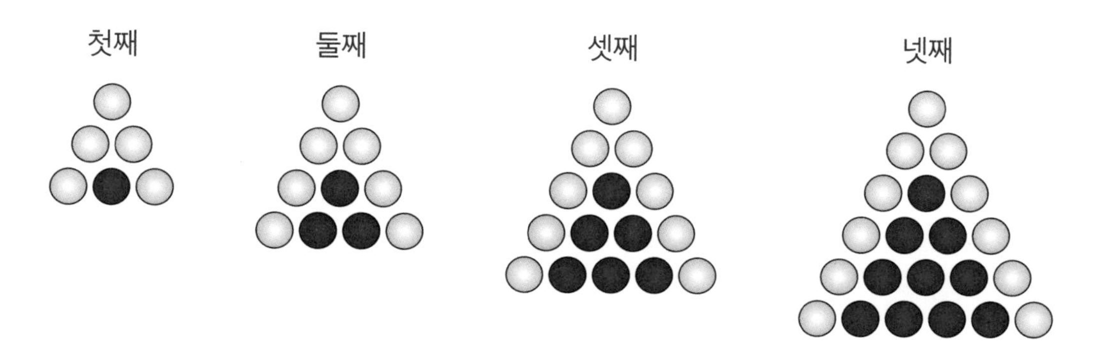

흰색 바둑돌

순서	첫째	둘째	셋째	넷째
덧셈식	5	5+2		
흰색 바둑돌의 수(개)	5	7		

+ ☐ + ☐ + ☐

검은색 바둑돌

순서	첫째	둘째	셋째	넷째
덧셈식	1	1+2		
검은색 바둑돌의 수(개)	1	3		

+ ☐ + ☐ + ☐

3일차 규칙 말하기

바둑돌의 배열을 보고 빈칸에 알맞은 수를 써넣으세요.

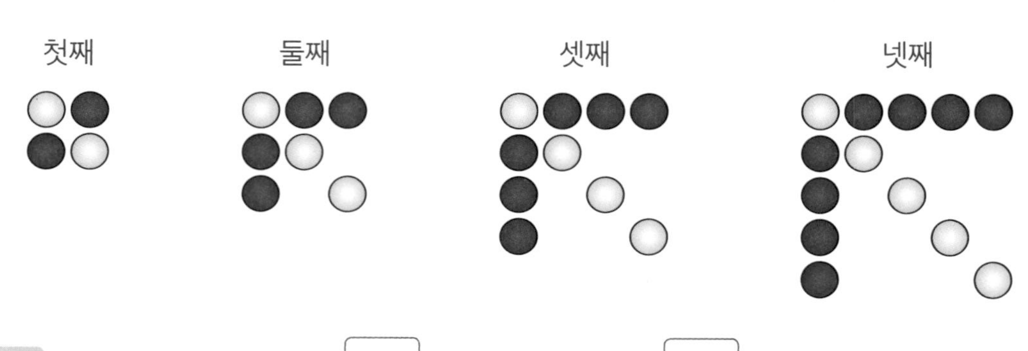

규칙 1 흰색 바둑돌의 수가 ☐개에서 시작하여 ☐개씩 늘어납니다.

규칙 2 검은색 바둑돌의 수가 ☐개에서 시작하여 ☐개씩 늘어납니다.

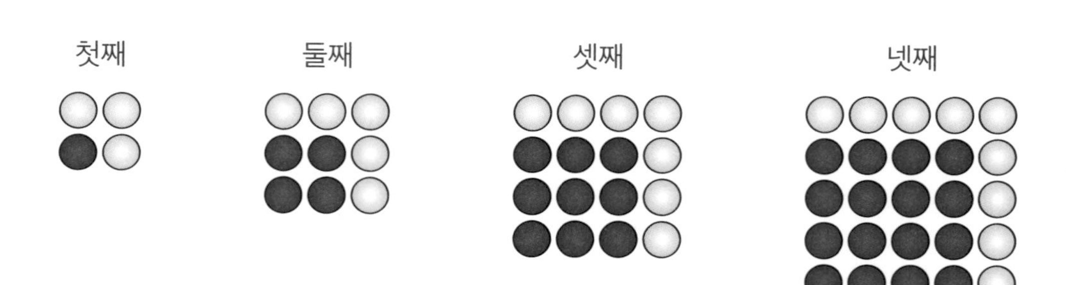

규칙 1 흰색 바둑돌의 수가 ☐개에서 시작하여 ☐개씩 늘어납니다.

규칙 2 검은색 바둑돌의 수가 1개에서 시작하여 ☐개, ☐개, ☐개……씩 늘어납니다.

바둑돌의 배열을 보고 넷째에 알맞은 바둑돌을 그리고 흰색 바둑돌과 검은색 바둑돌의 수가 늘어나는 규칙을 각각 써 보세요.

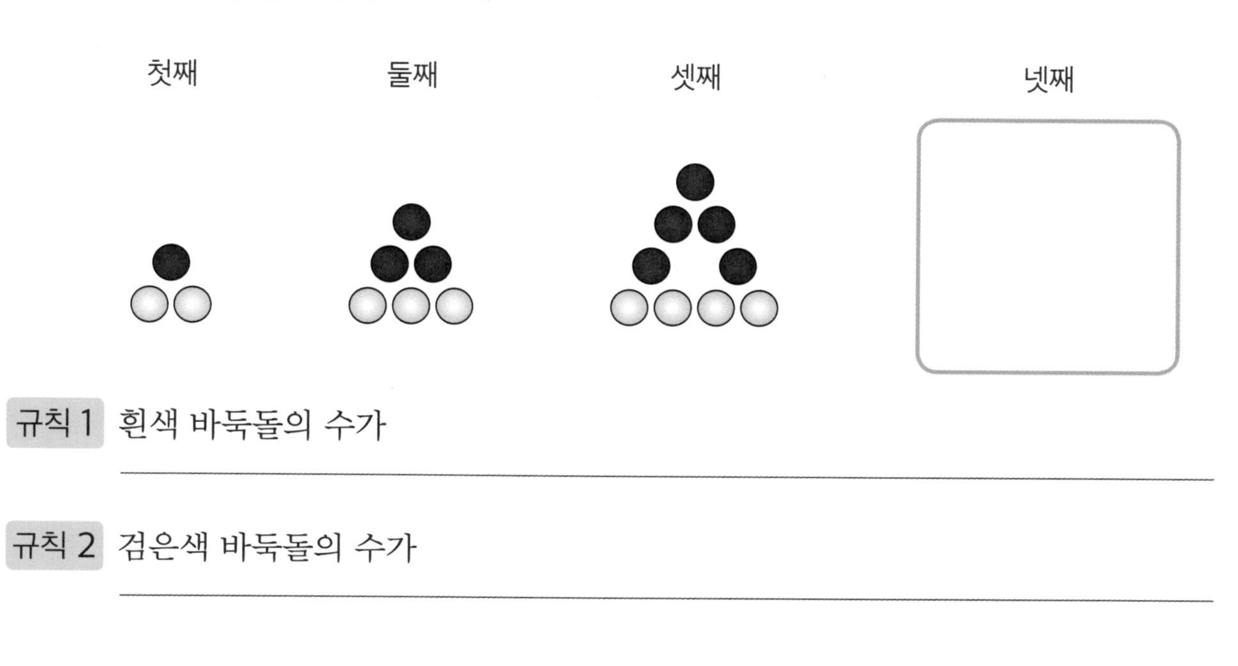

규칙 1 흰색 바둑돌의 수가

규칙 2 검은색 바둑돌의 수가

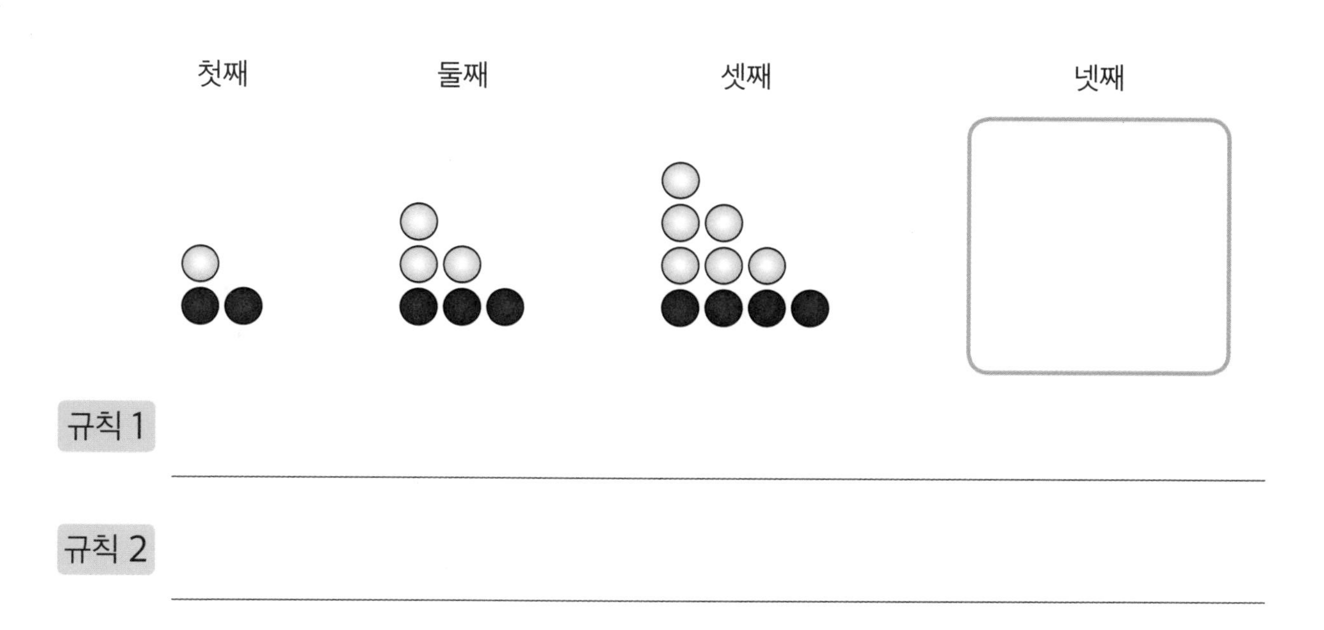

규칙 1

규칙 2

4일차 바둑돌의 수

바둑돌의 배열에서 규칙을 찾아 표를 완성해 보세요.

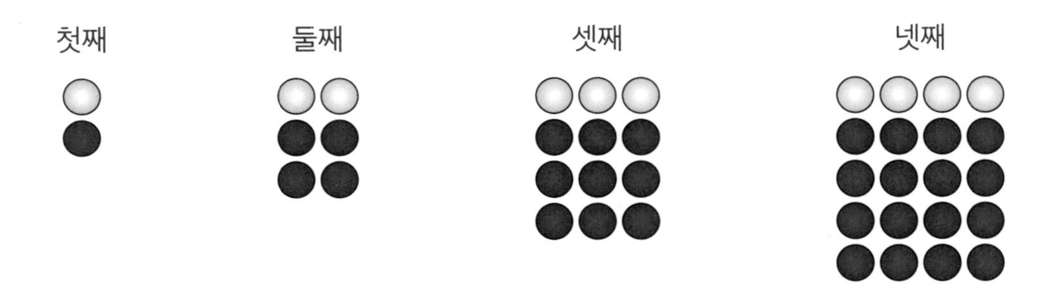

순서	첫째	둘째	셋째	넷째	다섯째	여섯째
흰색 바둑돌의 수(개)	1	2				
검은색 바둑돌의 수(개)	1	4				

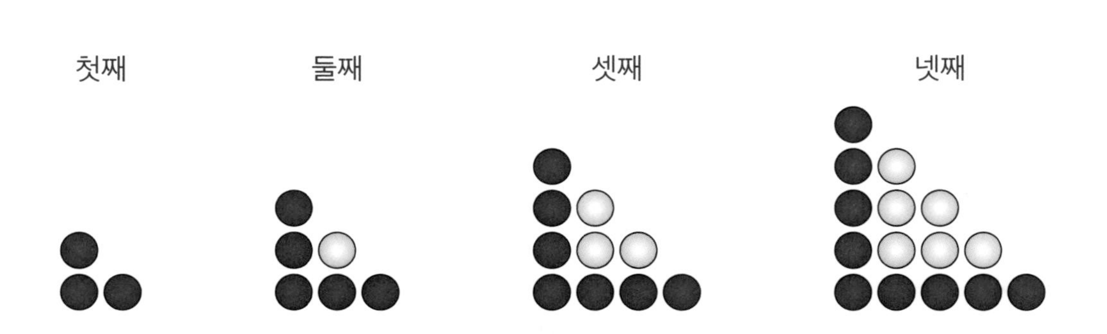

순서	첫째	둘째	셋째	넷째	다섯째	여섯째
흰색 바둑돌의 수(개)						
검은색 바둑돌의 수(개)						

물음에 답하세요.

규칙에 따라 바둑돌을 배열합니다. 다섯째 배열에서 필요한 흰색 바둑돌과 검은색 바둑돌은 각각 몇 개일까요?

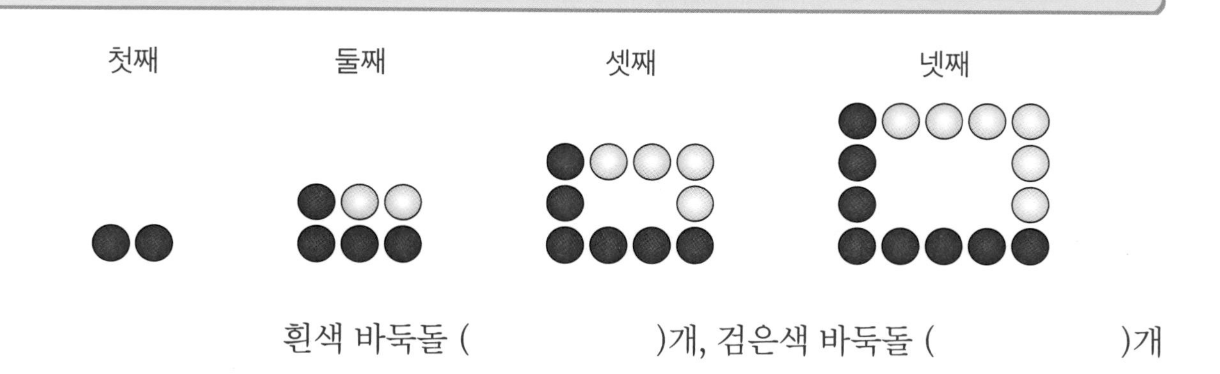

흰색 바둑돌 (　　　　　)개, 검은색 바둑돌 (　　　　　)개

규칙에 따라 바둑돌을 배열합니다. 여섯째 배열에서 필요한 흰색 바둑돌과 검은색 바둑돌은 각각 몇 개일까요?

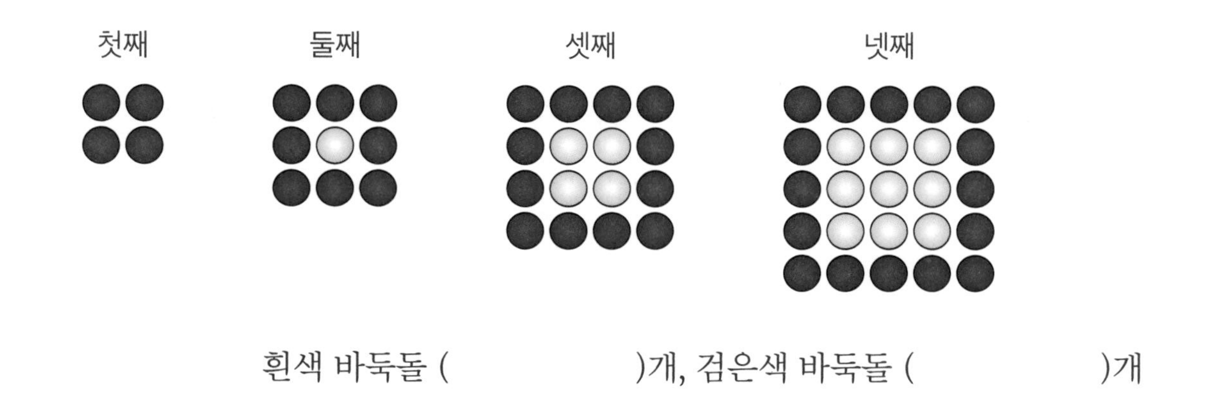

흰색 바둑돌 (　　　　　)개, 검은색 바둑돌 (　　　　　)개

5일차 몇째 배열

물음에 답하세요.

규칙에 따라 바둑돌을 배열합니다. 흰색 바둑돌이 5개인 배열에서 검은색 바둑돌은 몇 개일까요?

첫째 둘째 셋째

( )개

규칙에 따라 바둑돌을 배열합니다. 검은색 바둑돌이 5개인 배열에서 흰색 바둑돌은 몇 개일까요?

( )개

물음에 답하세요.

규칙에 따라 바둑돌을 배열합니다. 흰색 바둑돌이 25개인 배열에서 검은색 바둑돌은 몇 개일까요?

첫째 둘째 셋째

( )개

규칙에 따라 바둑돌을 배열합니다. 검은색 바둑돌이 13개인 배열에서 흰색 바둑돌은 몇 개일까요?

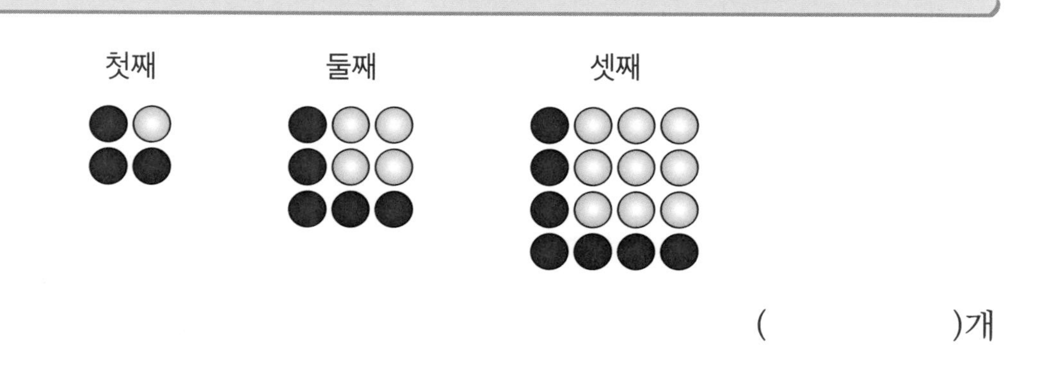

( )개

도형수

점을 규칙적으로 삼각형, 사각형, 오각형 모양으로 배열했을 때 그 점의 수를 삼각수, 사각수, 오각수라고 하고 이와 같은 수를 도형수라고 합니다. 점의 수를 세어 빈칸에 알맞은 수를 써넣으세요.

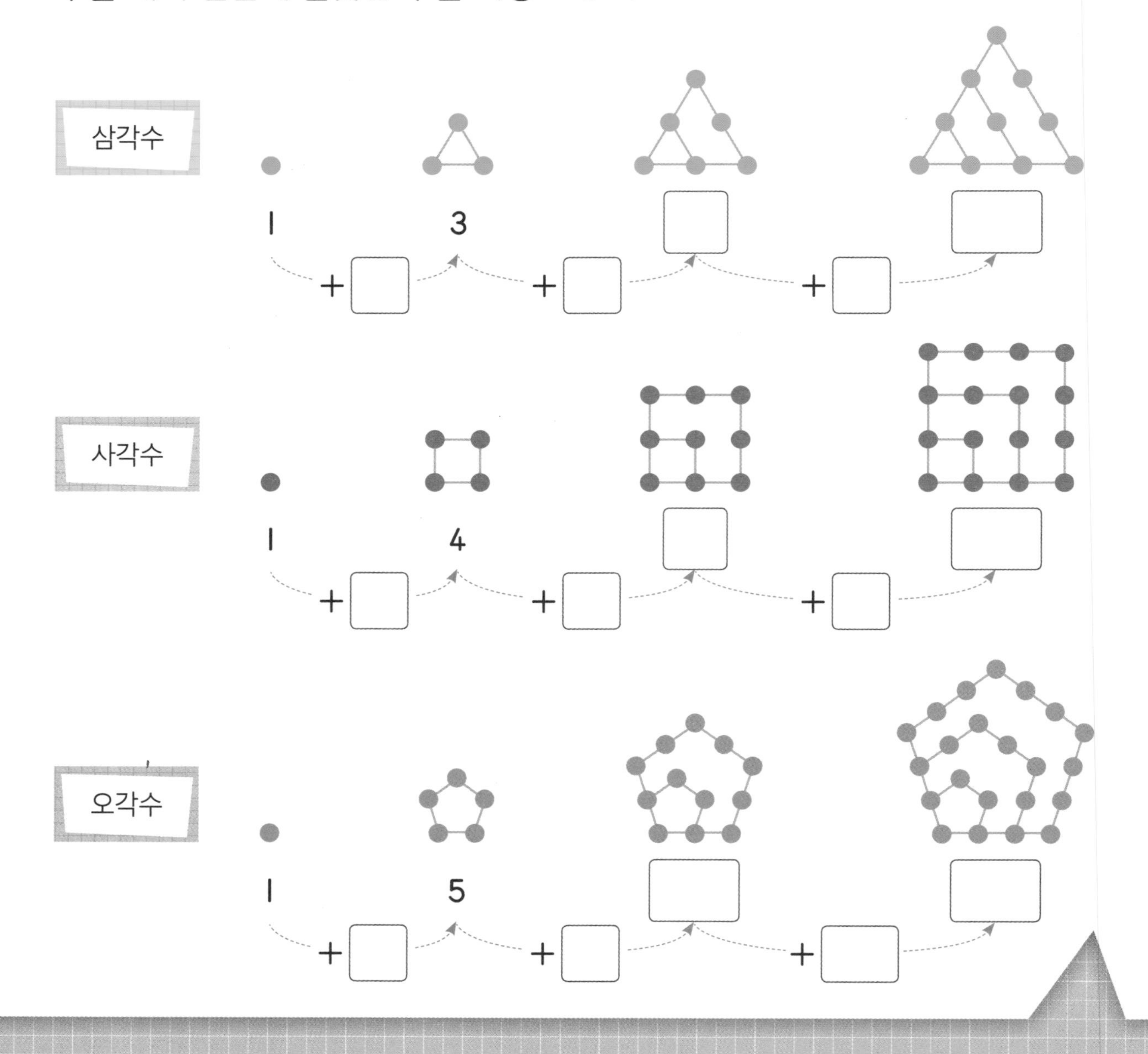

••• 링크 여러 가지 규칙

이동하며 늘어나기

모양의 배열에서 규칙을 찾아 다섯째 배열의 모양으로 알맞은 것에 ◯표 하세요.

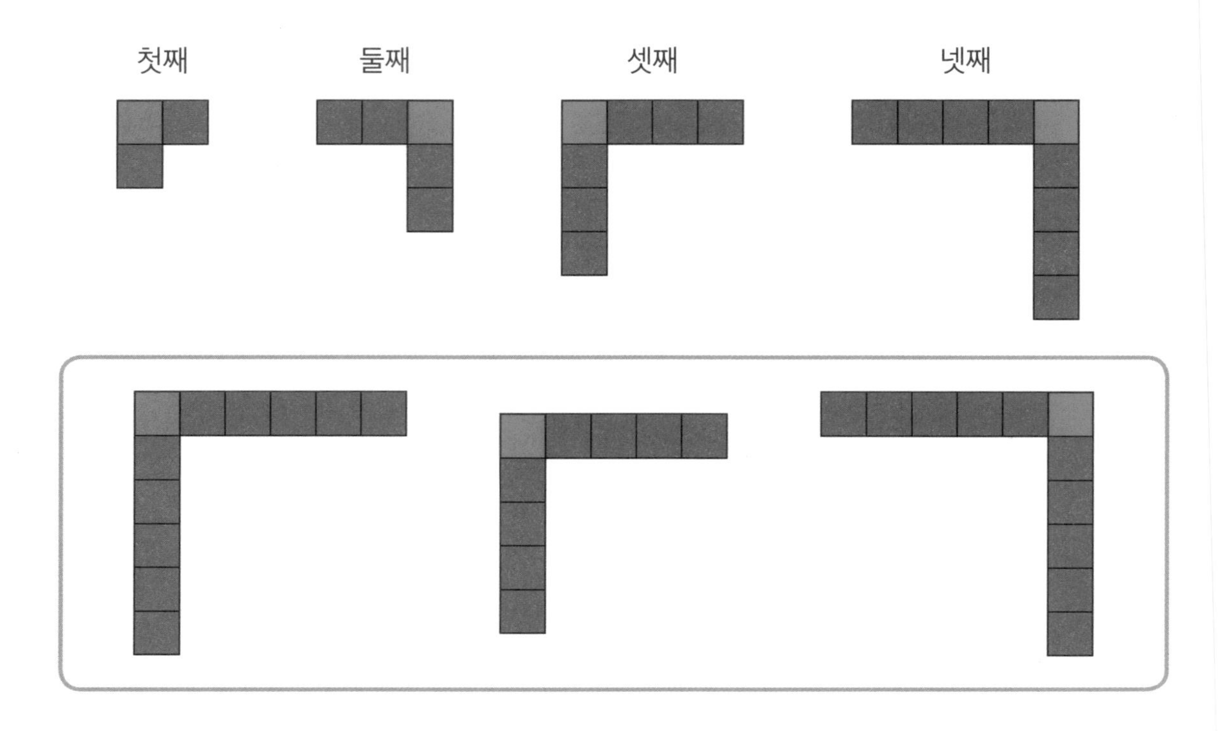

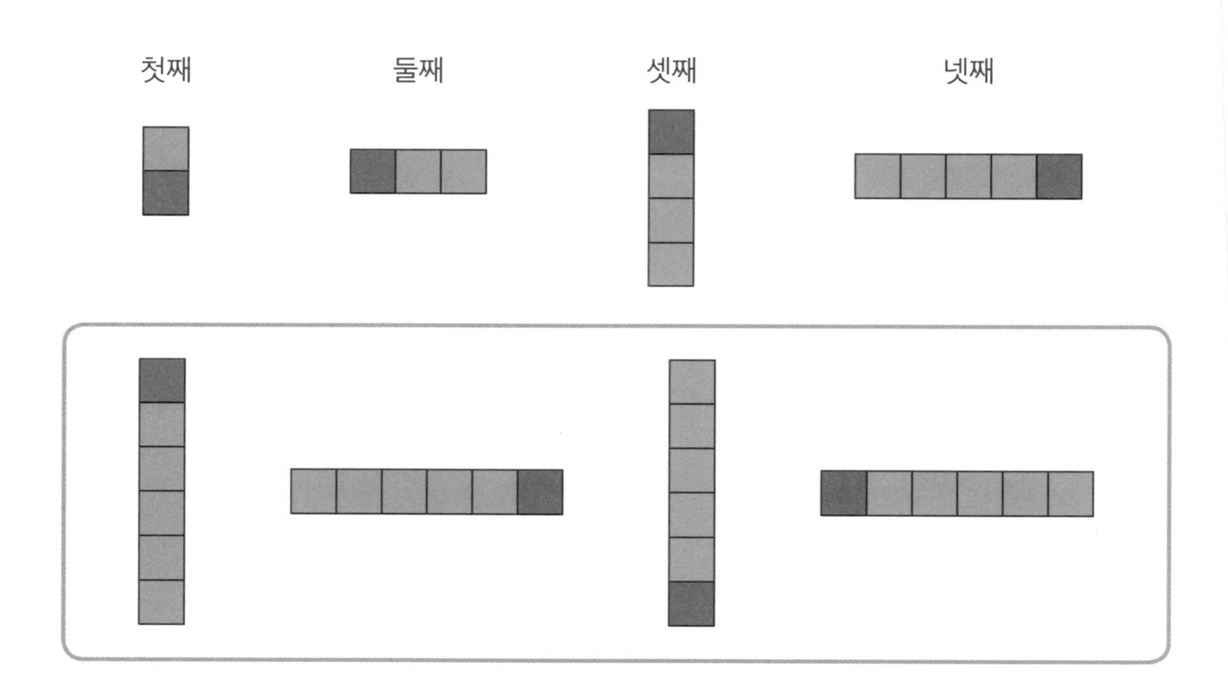

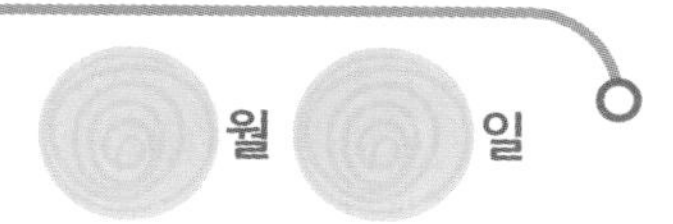

모양의 배열에서 규칙을 찾아 다섯째에 알맞은 모양을 그려 보세요.

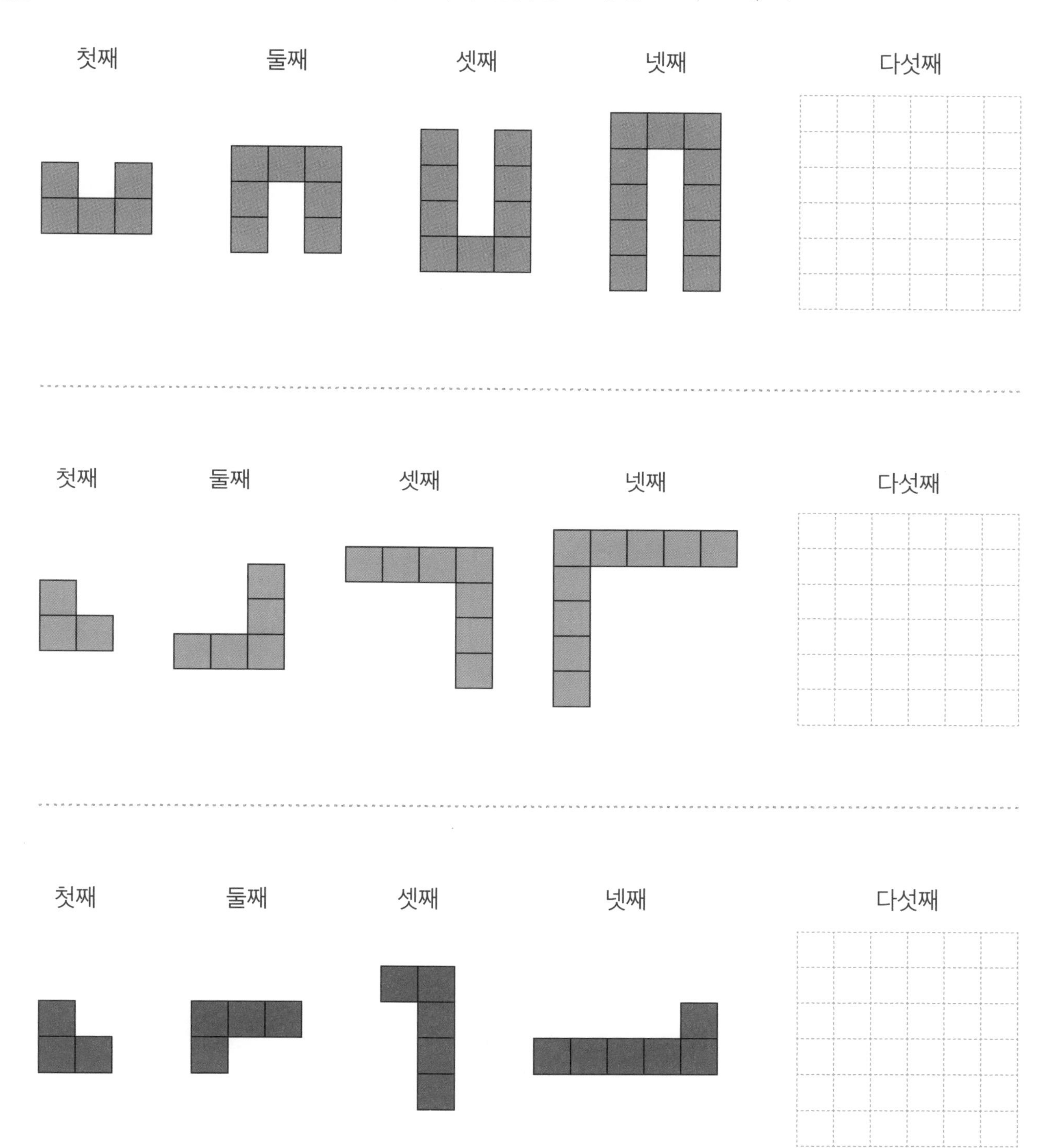

LINK 2 번갈아 늘어나기 (1)

모양의 배열에서 규칙을 찾아 여섯째 배열의 모양으로 알맞은 것에 ◯표 하세요.

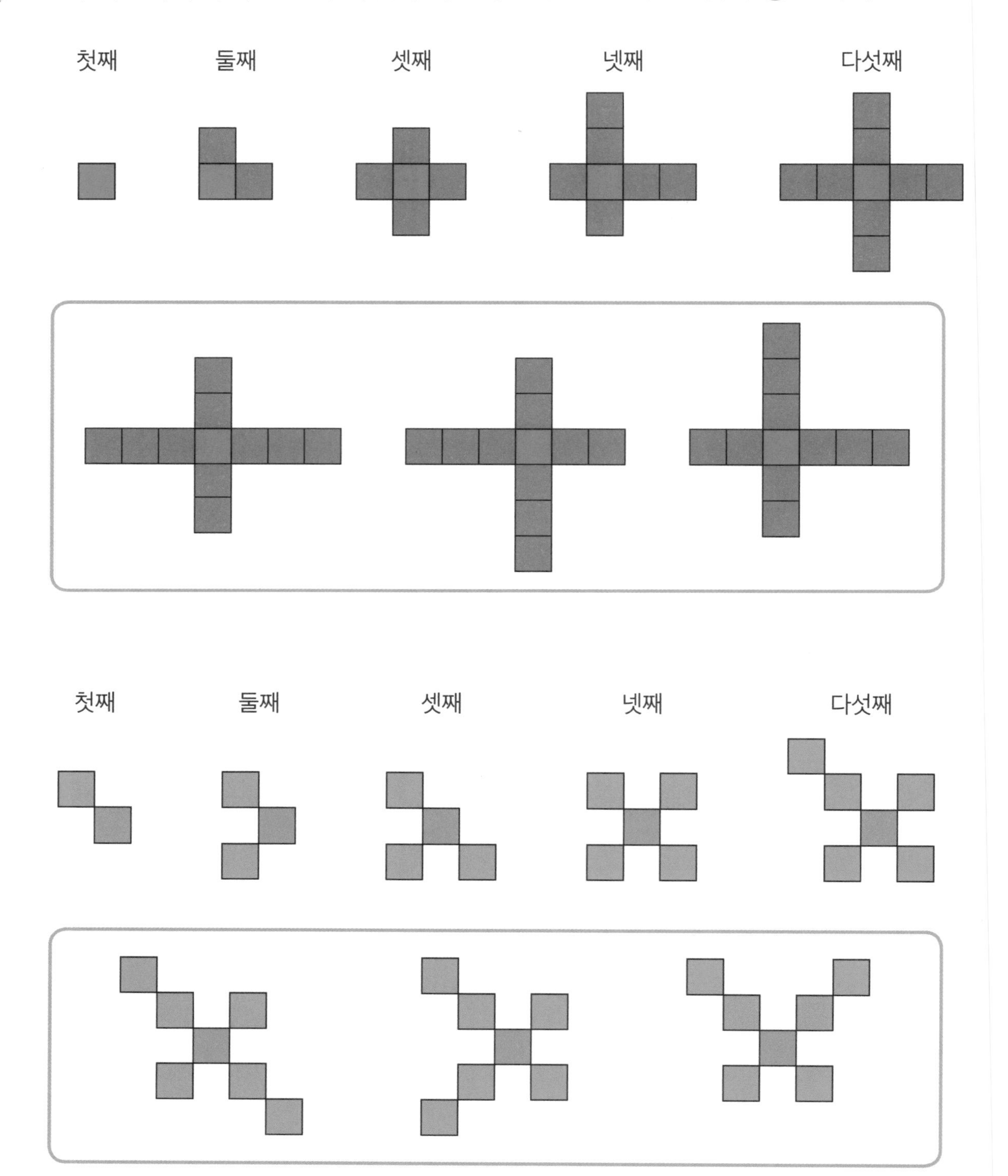

모양의 배열에서 규칙을 찾아 다섯째에 알맞은 모양을 그려 보세요.

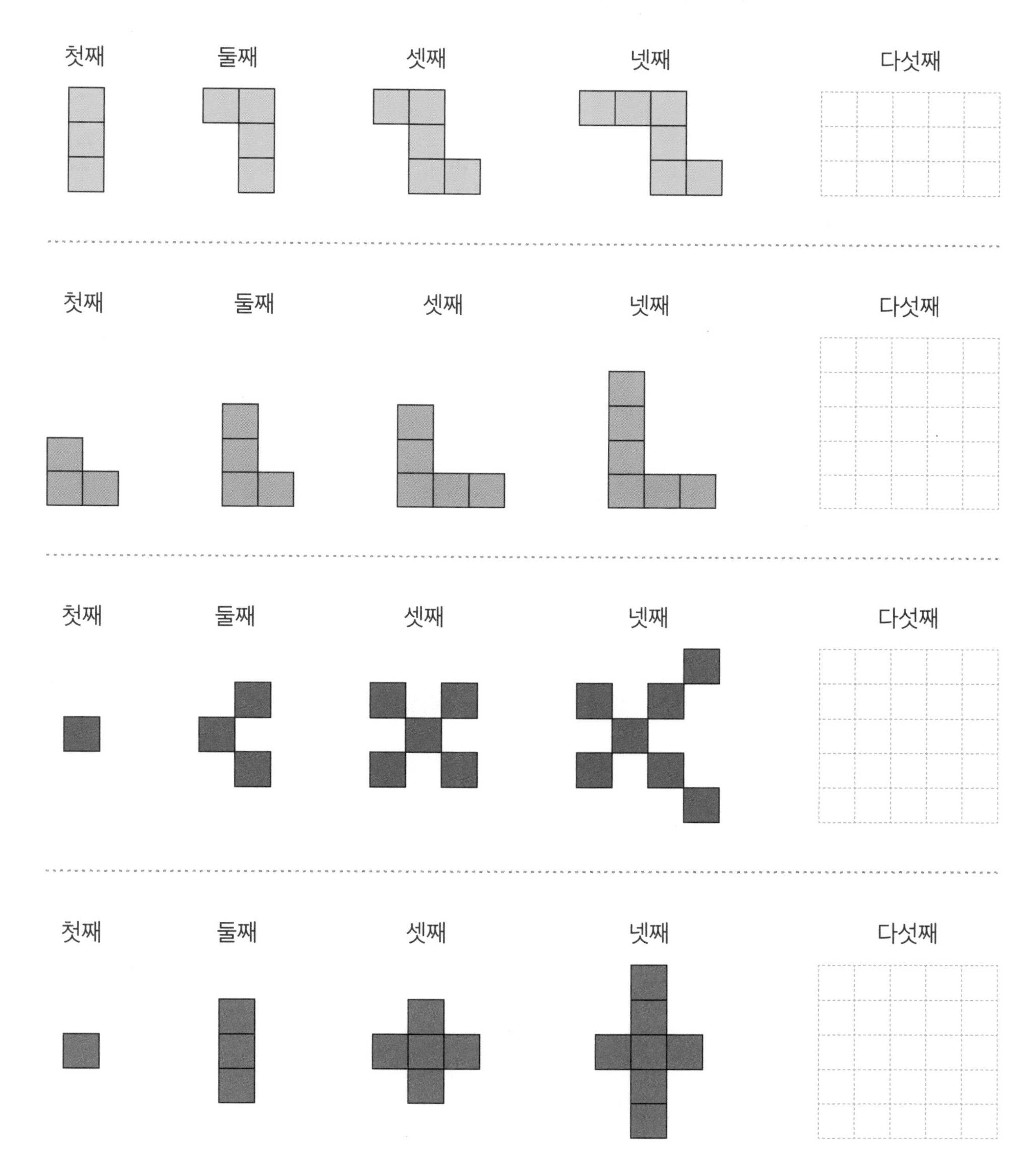

LINK 3 번갈아 늘어나기 (2)

모양의 배열에서 규칙을 찾아 다섯째에 알맞은 모양을 그리고 색칠해 보세요.

첫째 둘째 셋째 넷째 다섯째

첫째 둘째 셋째 넷째 다섯째

첫째 둘째 셋째 넷째 다섯째

첫째 둘째 셋째 넷째 다섯째

규칙을 찾아 여섯째 배열에서 알맞은 모양이 각각 몇 개인지 구해 보세요.

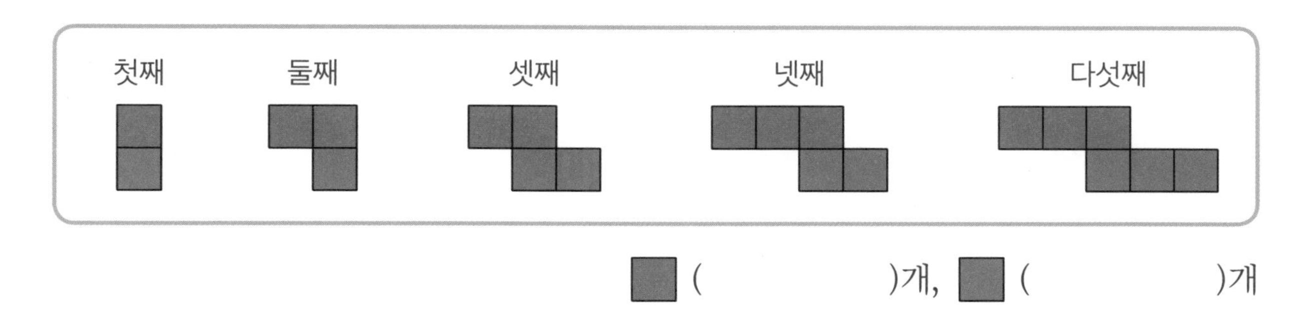

■ (　　　　)개, ■ (　　　　)개

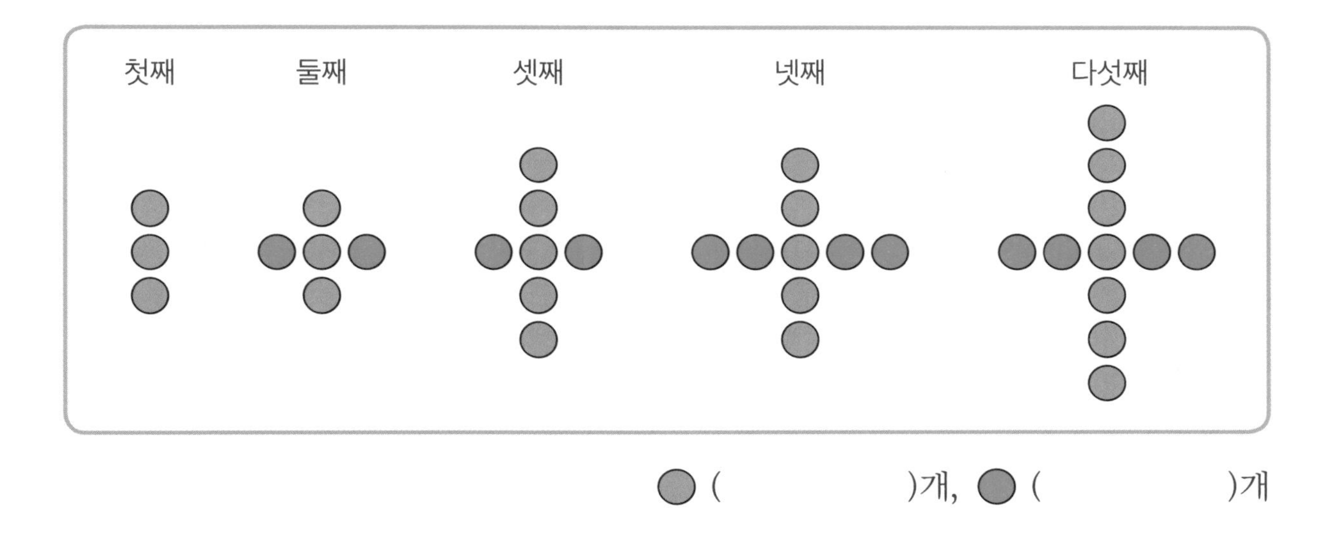

● (　　　　)개, ● (　　　　)개

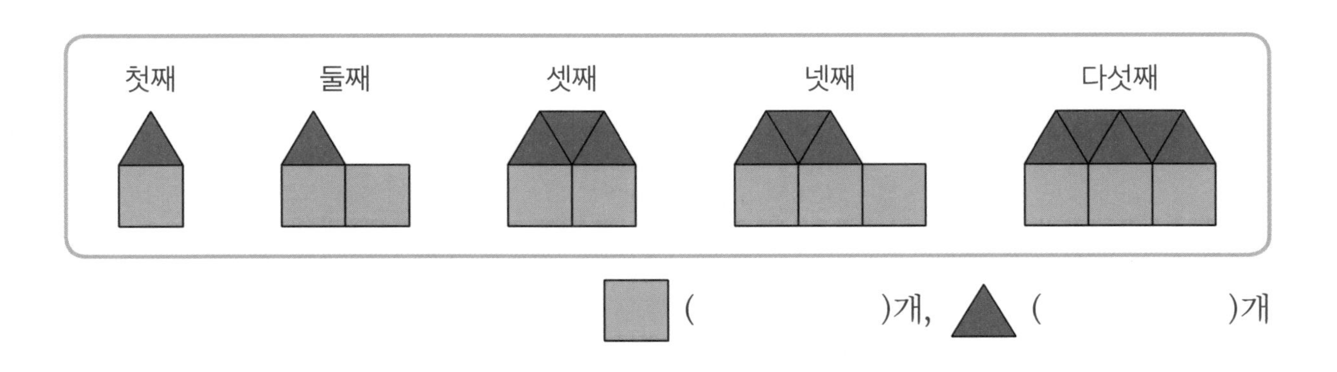

■ (　　　　)개, ▲ (　　　　)개

memo

형성평가

형성평가 1회

1 모양의 배열에서 규칙을 찾아 넷째에 알맞은 모양을 그려 보세요.

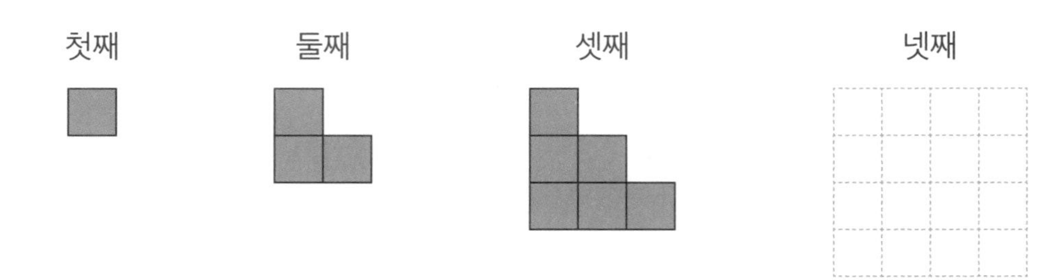

2 규칙에 따라 쌓기나무를 배열합니다. 다섯째 배열에서 필요한 쌓기나무는 몇 개일까요?

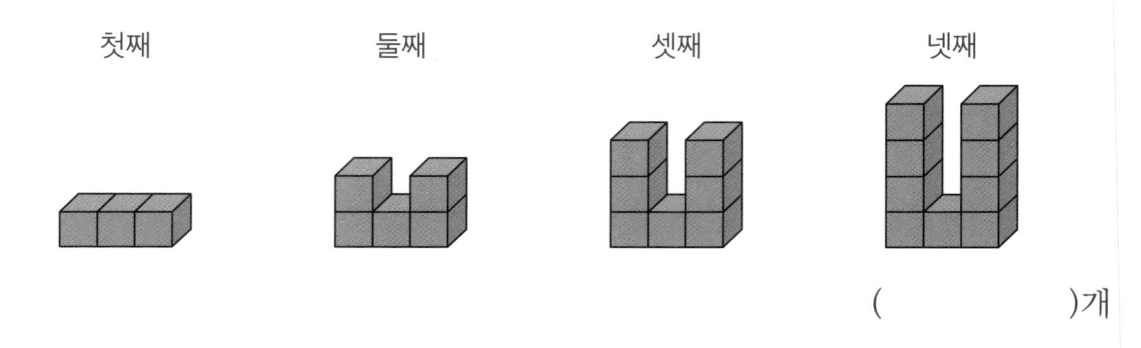

( )개

3 모양의 배열을 보고 빈칸에 알맞은 수를 써넣으세요.

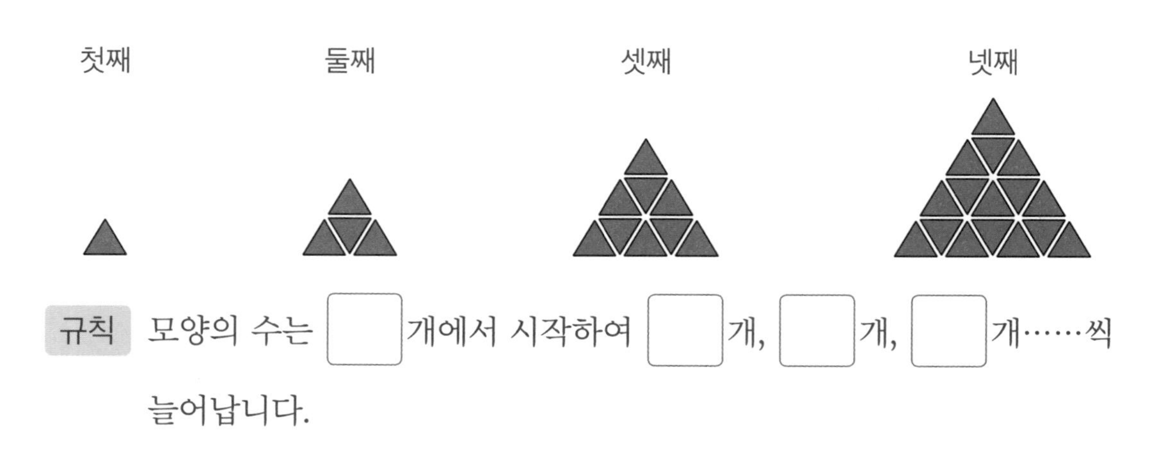

규칙 모양의 수는 ☐개에서 시작하여 ☐개, ☐개, ☐개……씩 늘어납니다.

※ 주한이와 하은이가 규칙에 따라 바둑돌을 배열합니다. 물음에 답하세요. (**4~6**)

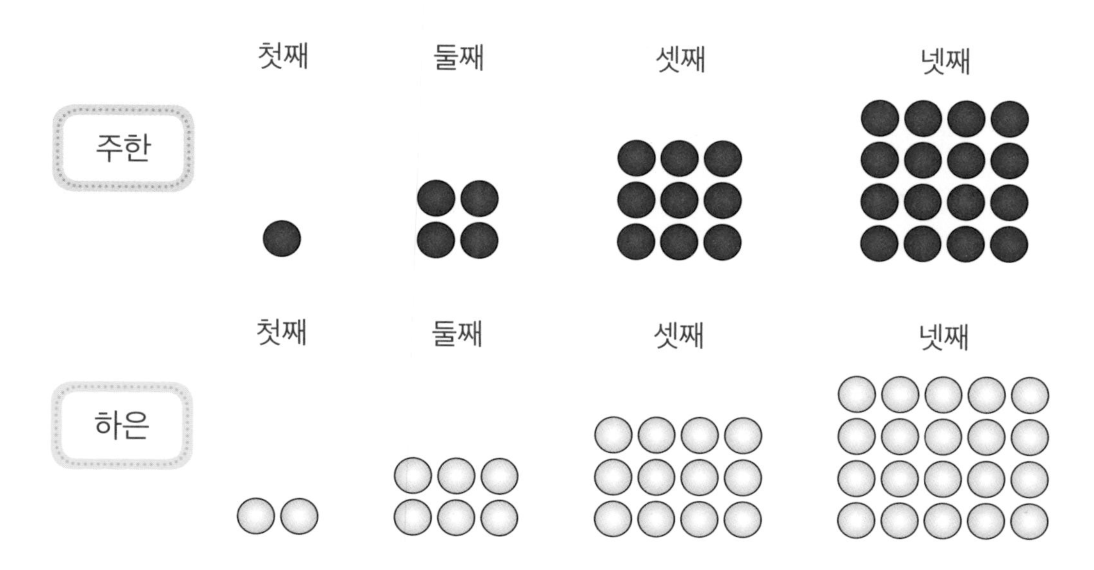

4 주한이는 다섯째 배열에서 바둑돌을 몇 개 사용할까요?

(　　　　　　)개

5 하은이의 바둑돌 배열에서 규칙을 찾습니다. 빈칸에 알맞은 수를 써넣으세요.

곱셈식으로 나타내면 첫째는 2×1, 둘째는 3×2, 셋째는 $4 \times$ ☐,
넷째는 ☐ $\times 4$이므로 다섯째는 ☐ $\times$ ☐로 나타낼 수 있습니다.

6 하은이는 여섯째 배열에서 바둑돌을 몇 개 사용할까요?

(　　　　　　)개

형성평가 2회

1 모양의 배열을 보고 빈칸에 알맞은 수를 써넣으세요.

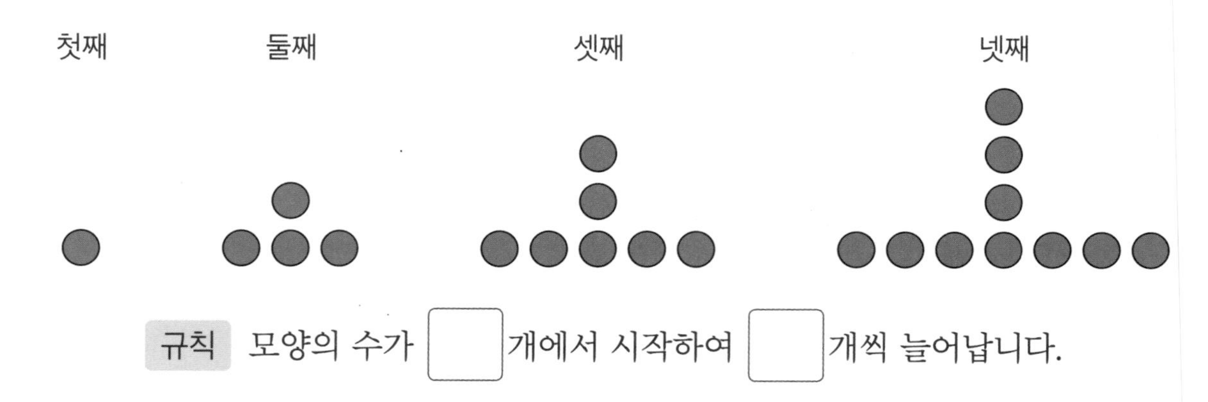

규칙 모양의 수가 ☐개에서 시작하여 ☐개씩 늘어납니다.

※ 규칙에 따라 성냥개비를 배열합니다. 물음에 답하세요. (**2**~**3**)

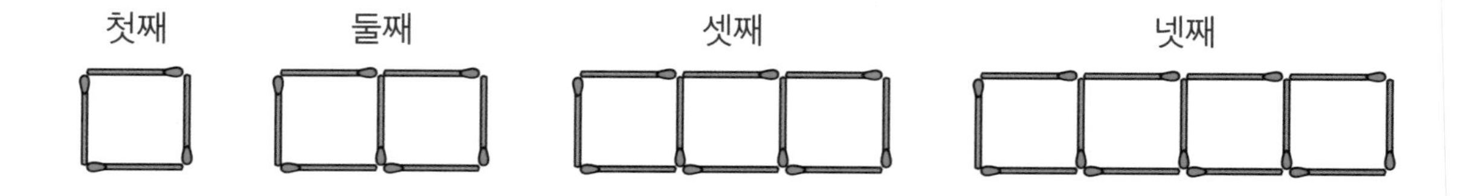

2 성냥개비의 수를 세어 표를 완성해 보세요.

순서	첫째	둘째	셋째	넷째
덧셈식	4	4+3		
성냥개비의 수(개)	4	7		

3 다섯째 배열을 만드는 데 필요한 성냥개비는 몇 개일까요?

(　　　　　)개

4 규칙에 따라 바둑돌을 배열합니다. 바둑돌 18개를 사용하는 배열은 몇째 배열일까요?

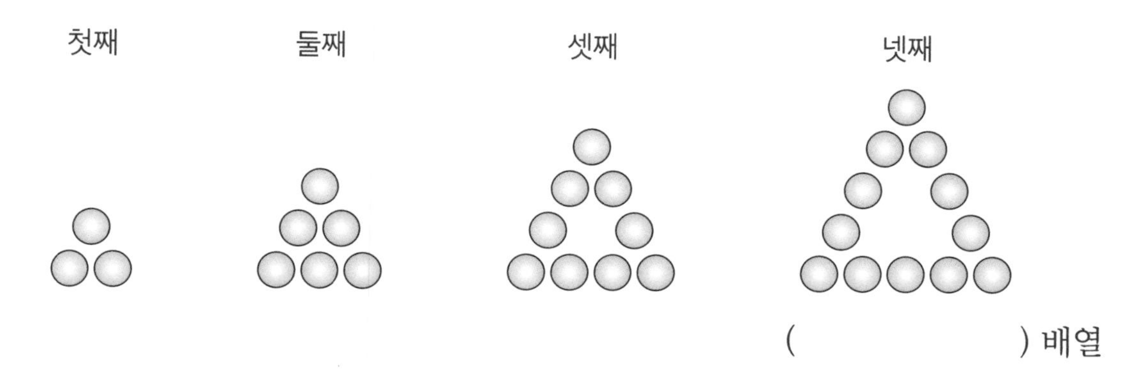

( ) 배열

5 규칙에 따라 쌓기나무를 배열합니다. 여섯째 배열에서 필요한 쌓기나무는 몇 개일까요?

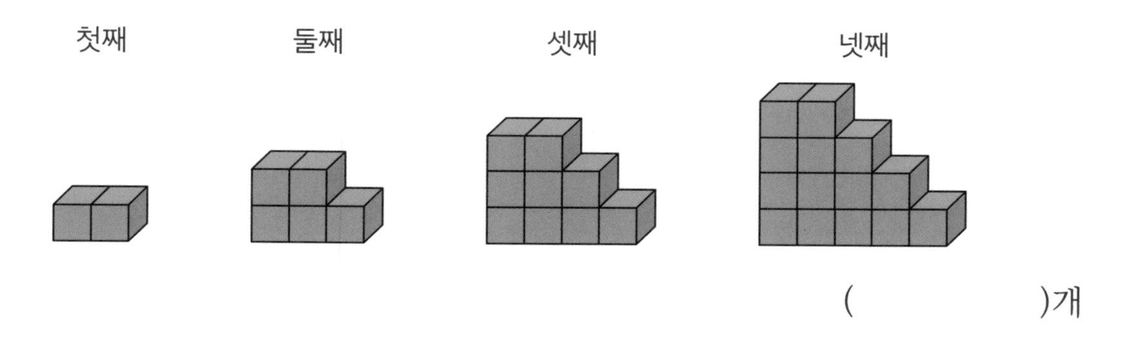

( )개

6 규칙에 따라 바둑돌을 배열합니다. 다섯째 배열에서 검은색 바둑돌은 흰색 바둑돌보다 몇 개 더 많을까요?

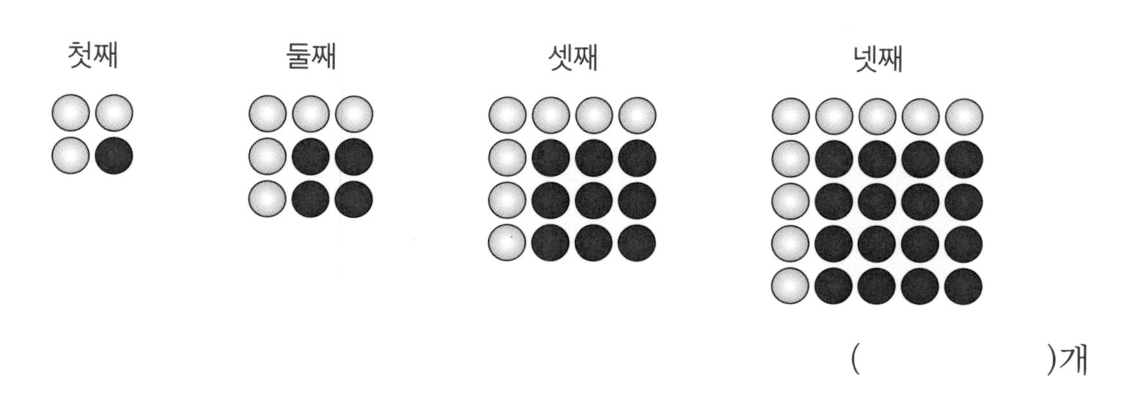

( )개

memo

초등 수학 핵심파트 집중 완성

교과특강

초4

D2

도형 배열 규칙

정답

D2

도형 배열 규칙

정답

1주차: 일정한 증가 규칙 1

8쪽·9쪽

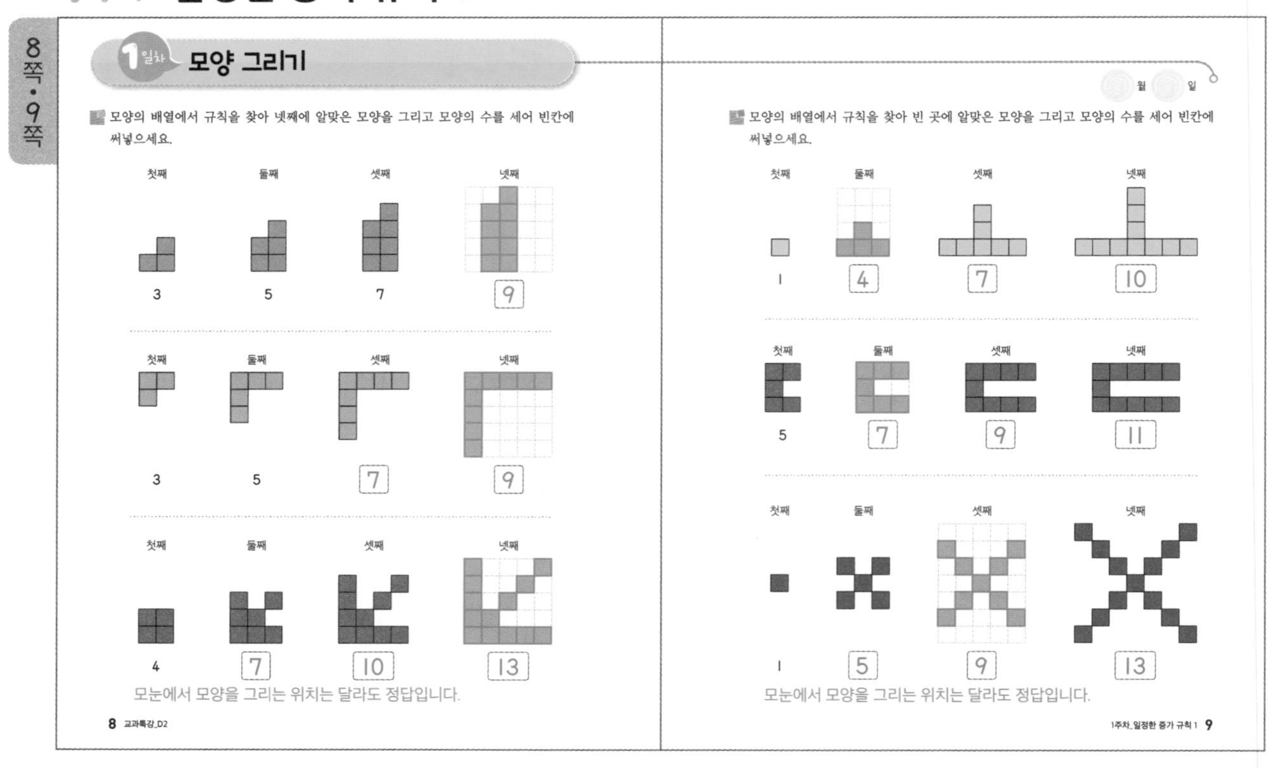

1일차 모양 그리기

월 일

모양의 배열에서 규칙을 찾아 넷째에 알맞은 모양을 그리고 모양의 수를 세어 빈칸에 써넣으세요.

첫째 둘째 셋째 넷째

3 5 7 9

3 5 7 9

4 7 10 13

모양의 배열에서 규칙을 찾아 빈 곳에 알맞은 모양을 그리고 모양의 수를 세어 빈칸에 써넣으세요.

첫째 둘째 셋째 넷째

1 4 7 10

5 7 9 11

1 5 9 13

모눈에서 모양을 그리는 위치는 달라도 정답입니다.

8 교과특강_D2

1주차_일정한 증가 규칙 1 9

10쪽·11쪽

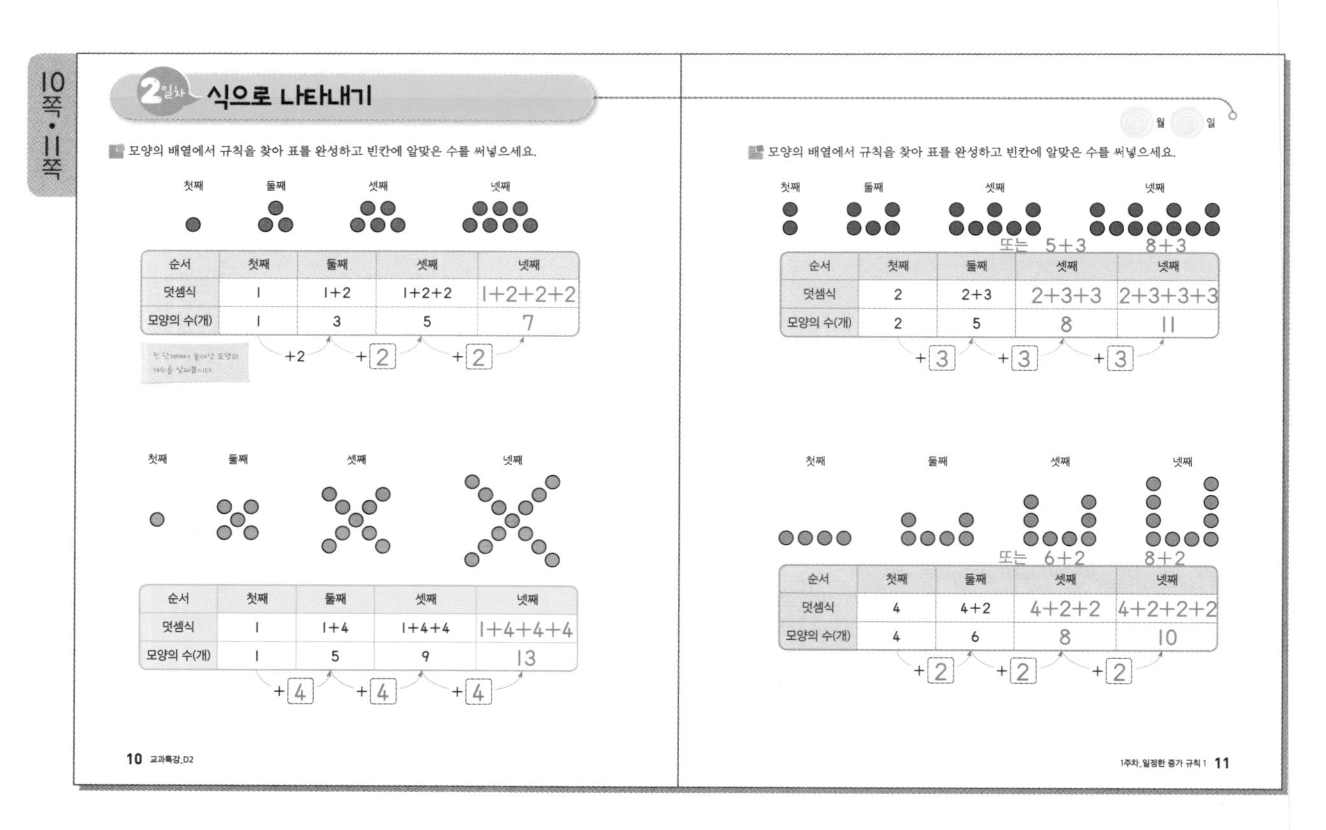

2일차 식으로 나타내기

월 일

모양의 배열에서 규칙을 찾아 표를 완성하고 빈칸에 알맞은 수를 써넣으세요.

순서	첫째	둘째	셋째	넷째
덧셈식	1	1+2	1+2+2	1+2+2+2
모양의 수(개)	1	3	5	7

+2 +2 +2

순서	첫째	둘째	셋째	넷째
덧셈식	1	1+4	1+4+4	1+4+4+4
모양의 수(개)	1	5	9	13

+4 +4 +4

모양의 배열에서 규칙을 찾아 표를 완성하고 빈칸에 알맞은 수를 써넣으세요.

또는 5+3 8+3

순서	첫째	둘째	셋째	넷째
덧셈식	2	2+3	2+3+3	2+3+3+3
모양의 수(개)	2	5	8	11

+3 +3 +3

또는 6+2 8+2

순서	첫째	둘째	셋째	넷째
덧셈식	4	4+2	4+2+2	4+2+2+2
모양의 수(개)	4	6	8	10

+2 +2 +2

10 교과특강_D2

1주차_일정한 증가 규칙 1 11

12쪽·13쪽

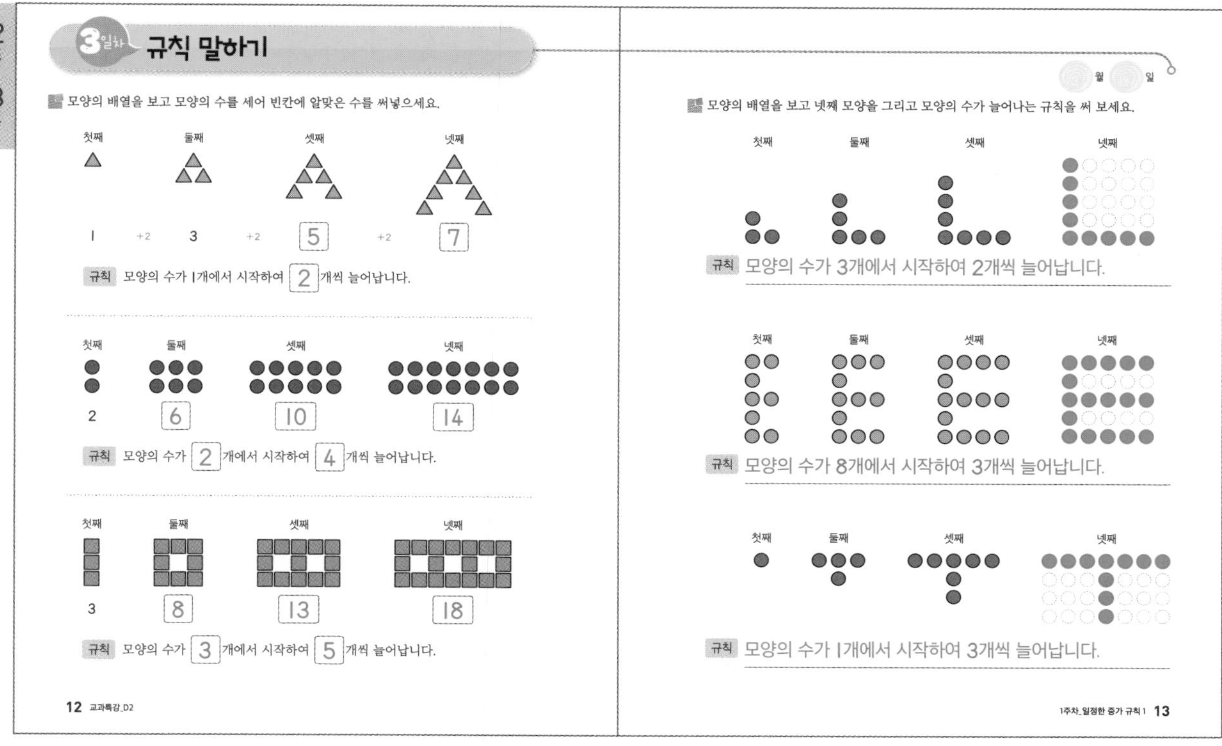

3일차 규칙 말하기

모양의 배열을 보고 모양의 수를 세어 빈칸에 알맞은 수를 써넣으세요.

첫째, 둘째, 셋째, 넷째

1 +2 3 +2 5 +2 7

규칙 모양의 수가 1개에서 시작하여 2개씩 늘어납니다.

2, 6, 10, 14

규칙 모양의 수가 2개에서 시작하여 4개씩 늘어납니다.

3, 8, 13, 18

규칙 모양의 수가 3개에서 시작하여 5개씩 늘어납니다.

월 일

모양의 배열을 보고 넷째 모양을 그리고 모양의 수가 늘어나는 규칙을 써 보세요.

첫째, 둘째, 셋째, 넷째

규칙 모양의 수가 3개에서 시작하여 2개씩 늘어납니다.

첫째, 둘째, 셋째, 넷째

규칙 모양의 수가 8개에서 시작하여 3개씩 늘어납니다.

첫째, 둘째, 셋째, 넷째

규칙 모양의 수가 1개에서 시작하여 3개씩 늘어납니다.

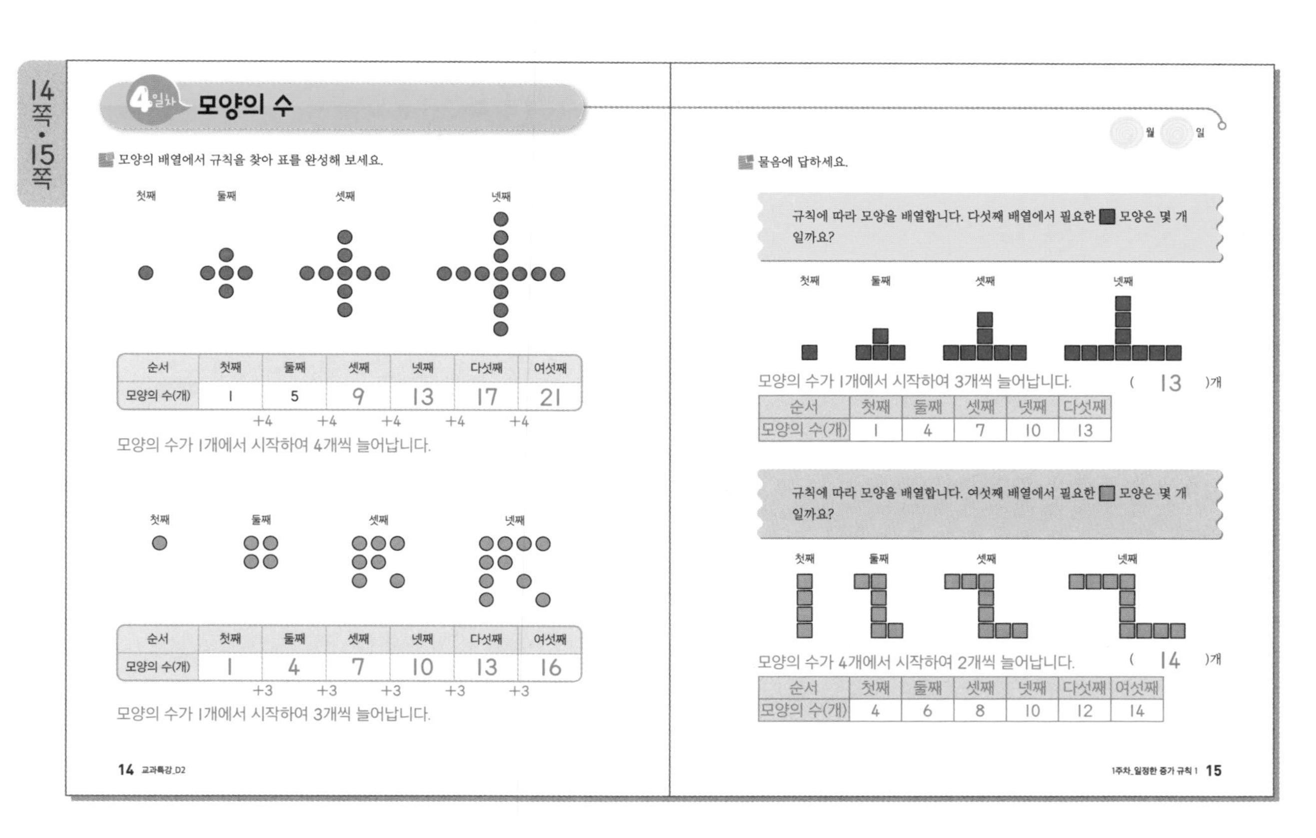
14쪽·15쪽

4일차 모양의 수

모양의 배열에서 규칙을 찾아 표를 완성해 보세요.

첫째, 둘째, 셋째, 넷째

순서	첫째	둘째	셋째	넷째	다섯째	여섯째
모양의 수(개)	1	5	9	13	17	21

+4 +4 +4 +4 +4

모양의 수가 1개에서 시작하여 4개씩 늘어납니다.

첫째, 둘째, 셋째, 넷째

순서	첫째	둘째	셋째	넷째	다섯째	여섯째
모양의 수(개)	1	4	7	10	13	16

+3 +3 +3 +3 +3

모양의 수가 1개에서 시작하여 3개씩 늘어납니다.

월 일

물음에 답하세요.

규칙에 따라 모양을 배열합니다. 다섯째 배열에서 필요한 ■ 모양은 몇 개일까요?

첫째, 둘째, 셋째, 넷째

모양의 수가 1개에서 시작하여 3개씩 늘어납니다. (13)개

순서	첫째	둘째	셋째	넷째	다섯째
모양의 수(개)	1	4	7	10	13

규칙에 따라 모양을 배열합니다. 여섯째 배열에서 필요한 ■ 모양은 몇 개일까요?

첫째, 둘째, 셋째, 넷째

모양의 수가 4개에서 시작하여 2개씩 늘어납니다. (14)개

순서	첫째	둘째	셋째	넷째	다섯째	여섯째
모양의 수(개)	4	6	8	10	12	14

16쪽·17쪽

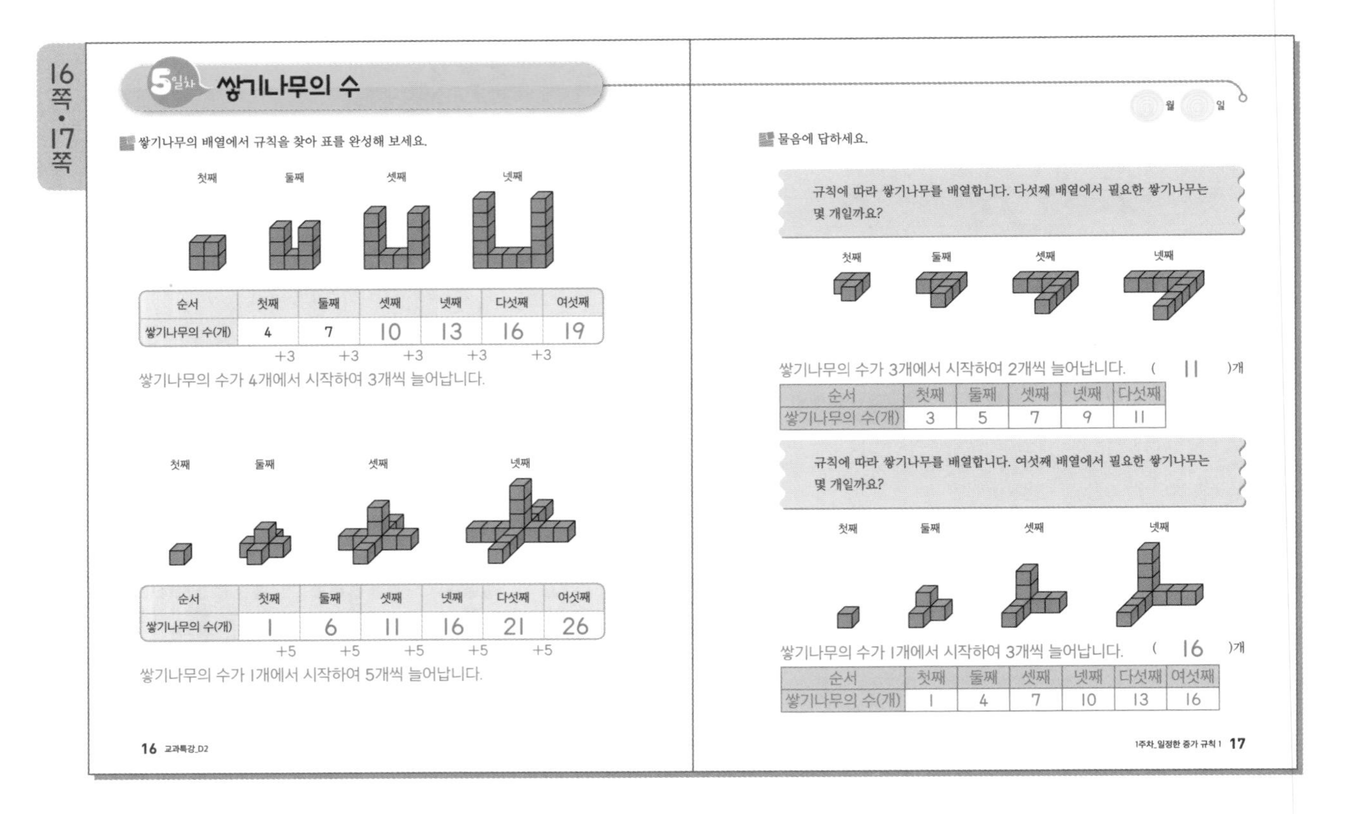

5일차 쌓기나무의 수

쌓기나무의 배열에서 규칙을 찾아 표를 완성해 보세요.

순서	첫째	둘째	셋째	넷째	다섯째	여섯째
쌓기나무의 수(개)	4	7	10	13	16	19

+3 +3 +3 +3 +3

쌓기나무의 수가 4개에서 시작하여 3개씩 늘어납니다.

순서	첫째	둘째	셋째	넷째	다섯째	여섯째
쌓기나무의 수(개)	1	6	11	16	21	26

+5 +5 +5 +5 +5

쌓기나무의 수가 1개에서 시작하여 5개씩 늘어납니다.

월 일

물음에 답하세요.

규칙에 따라 쌓기나무를 배열합니다. 다섯째 배열에서 필요한 쌓기나무는 몇 개일까요?

쌓기나무의 수가 3개에서 시작하여 2개씩 늘어납니다. (11)개

순서	첫째	둘째	셋째	넷째	다섯째
쌓기나무의 수(개)	3	5	7	9	11

규칙에 따라 쌓기나무를 배열합니다. 여섯째 배열에서 필요한 쌓기나무는 몇 개일까요?

쌓기나무의 수가 1개에서 시작하여 3개씩 늘어납니다. (16)개

순서	첫째	둘째	셋째	넷째	다섯째	여섯째
쌓기나무의 수(개)	1	4	7	10	13	16

18쪽

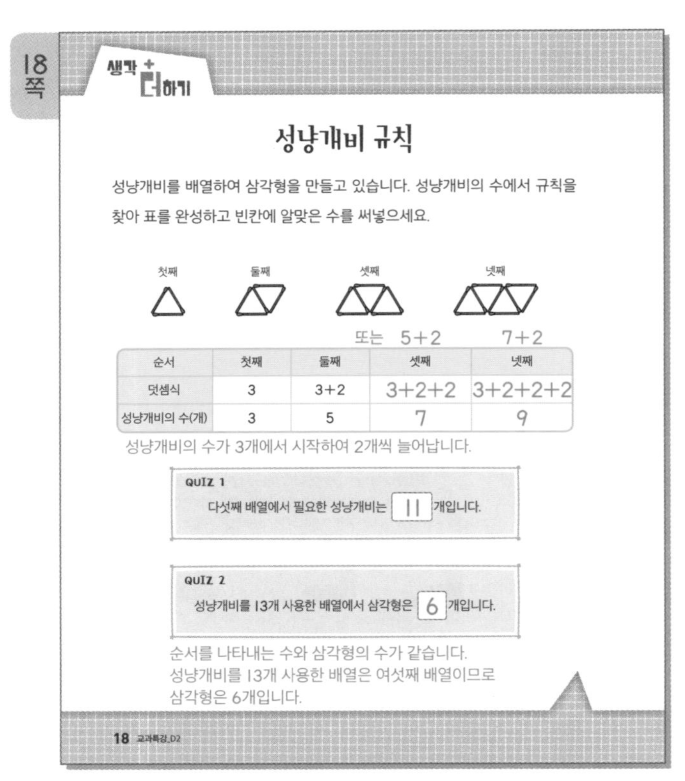

생각+더하기

성냥개비 규칙

성냥개비를 배열하여 삼각형을 만들고 있습니다. 성냥개비의 수에서 규칙을 찾아 표를 완성하고 빈칸에 알맞은 수를 써넣으세요.

또는 5+2 7+2

순서	첫째	둘째	셋째	넷째
덧셈식	3	3+2	3+2+2	3+2+2+2
성냥개비의 수(개)	3	5	7	9

성냥개비의 수가 3개에서 시작하여 2개씩 늘어납니다.

QUIZ 1
다섯째 배열에서 필요한 성냥개비는 11 개입니다.

QUIZ 2
성냥개비를 13개 사용한 배열에서 삼각형은 6 개입니다.

순서를 나타내는 수와 삼각형의 수가 같습니다.
성냥개비를 13개 사용한 배열은 여섯째 배열이므로
삼각형은 6개입니다.

2주차: 일정한 증가 규칙 2

20쪽·21쪽

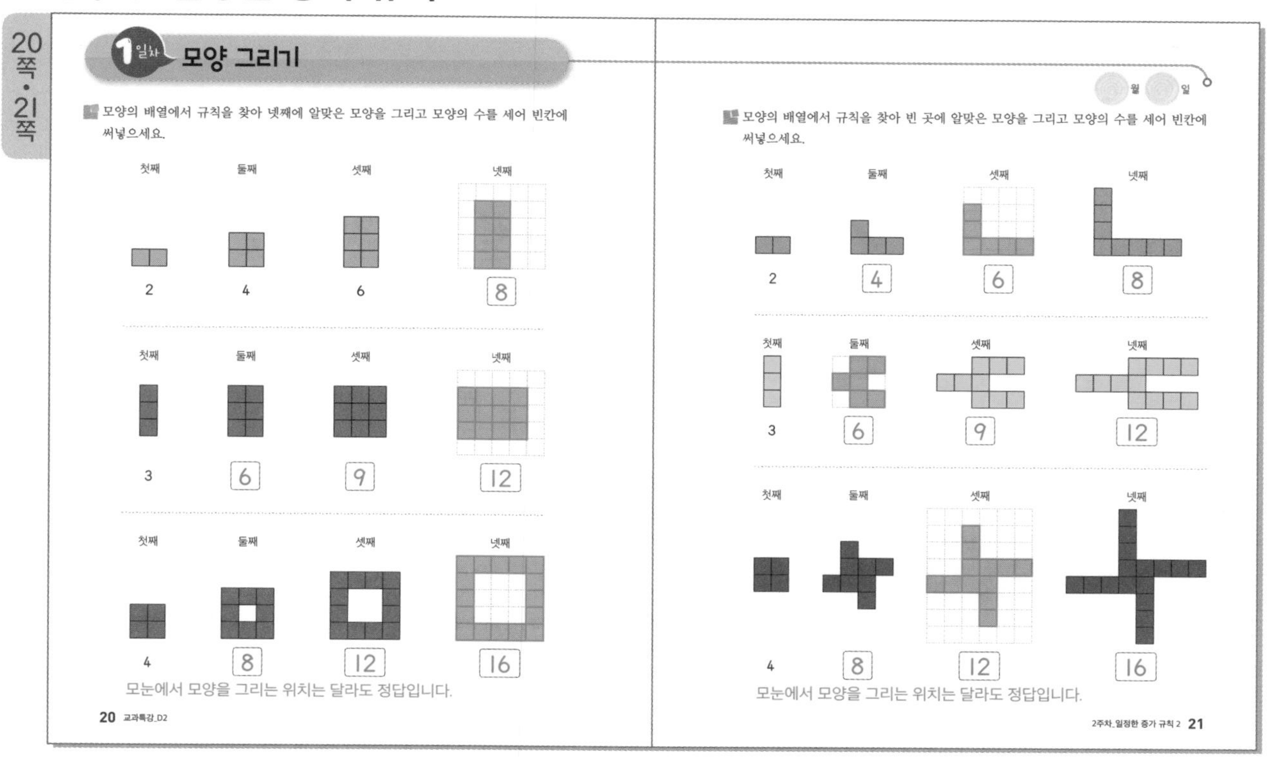

1일차 모양 그리기

모양의 배열에서 규칙을 찾아 넷째에 알맞은 모양을 그리고 모양의 수를 세어 빈칸에 써넣으세요.

첫째 둘째 셋째 넷째

2 4 6 8

첫째 둘째 셋째 넷째

3 6 9 12

첫째 둘째 셋째 넷째

4 8 12 16

모눈에서 모양을 그리는 위치는 달라도 정답입니다.

20 교과특강_D2

월 일

모양의 배열에서 규칙을 찾아 빈 곳에 알맞은 모양을 그리고 모양의 수를 세어 빈칸에 써넣으세요.

첫째 둘째 셋째 넷째

2 4 6 8

첫째 둘째 셋째 넷째

3 6 9 12

첫째 둘째 셋째 넷째

4 8 12 16

모눈에서 모양을 그리는 위치는 달라도 정답입니다.

2주차_일정한 증가 규칙 2 21

22쪽·23쪽

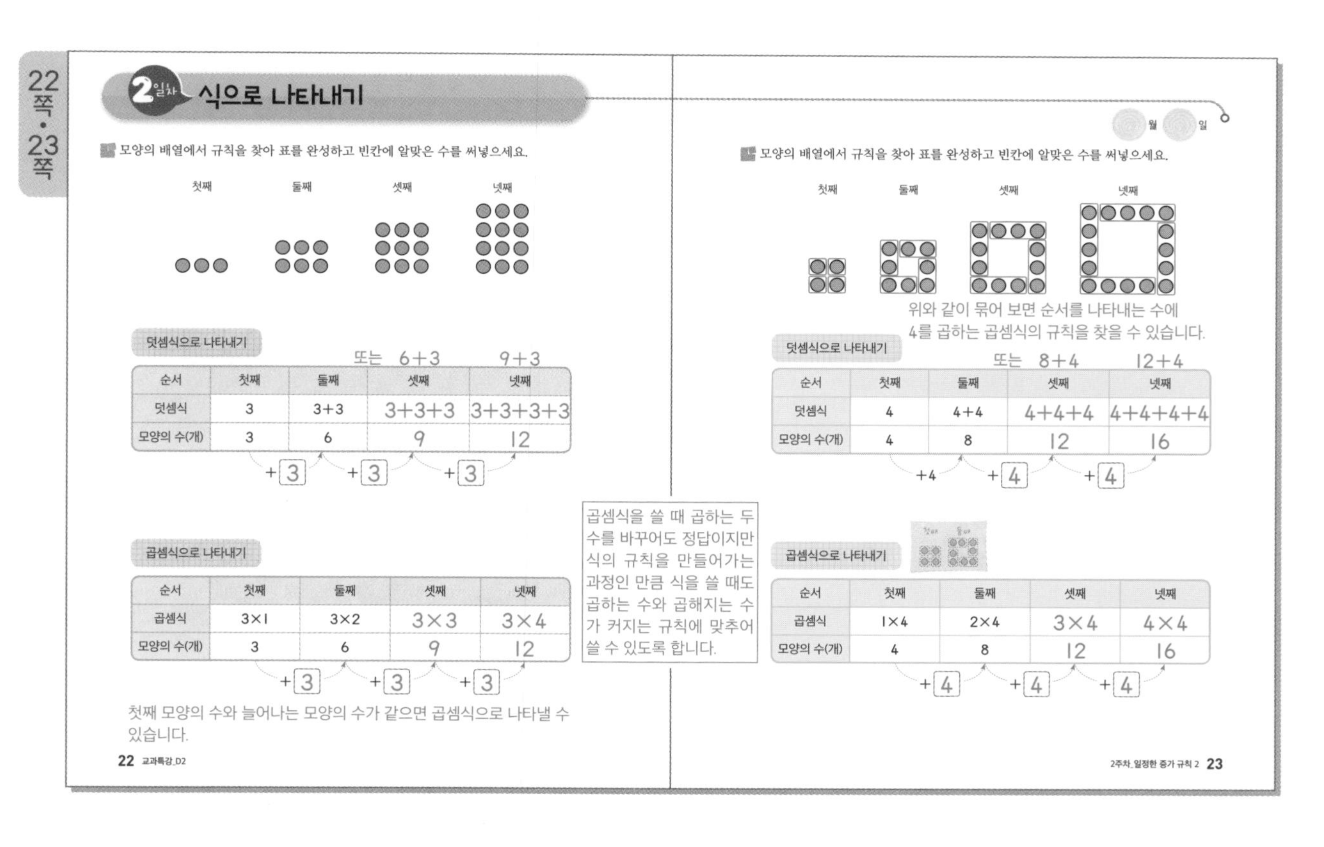

2일차 식으로 나타내기

모양의 배열에서 규칙을 찾아 표를 완성하고 빈칸에 알맞은 수를 써넣으세요.

첫째 둘째 셋째 넷째

덧셈식으로 나타내기

또는 6+3 9+3

순서	첫째	둘째	셋째	넷째
덧셈식	3	3+3	3+3+3	3+3+3+3
모양의 수(개)	3	6	9	12

+3 +3 +3

곱셈식으로 나타내기

순서	첫째	둘째	셋째	넷째
곱셈식	3×1	3×2	3×3	3×4
모양의 수(개)	3	6	9	12

+3 +3 +3

첫째 모양의 수와 늘어나는 모양의 수가 같으면 곱셈식으로 나타낼 수 있습니다.

곱셈식을 쓸 때 곱하는 두 수를 바꾸어도 정답이지만 식의 규칙을 만들어가는 과정인 만큼 식을 쓸 때도 곱하는 수와 곱해지는 수가 커지는 규칙에 맞추어 쓸 수 있도록 합니다.

22 교과특강_D2

월 일

모양의 배열에서 규칙을 찾아 표를 완성하고 빈칸에 알맞은 수를 써넣으세요.

첫째 둘째 셋째 넷째

위와 같이 묶어 보면 순서를 나타내는 수에 4를 곱하는 곱셈식의 규칙을 찾을 수 있습니다.

덧셈식으로 나타내기

또는 8+4 12+4

순서	첫째	둘째	셋째	넷째
덧셈식	4	4+4	4+4+4	4+4+4+4
모양의 수(개)	4	8	12	16

+4 +4 +4

곱셈식으로 나타내기

순서	첫째	둘째	셋째	넷째
곱셈식	1×4	2×4	3×4	4×4
모양의 수(개)	4	8	12	16

+4 +4 +4

2주차_일정한 증가 규칙 2 23

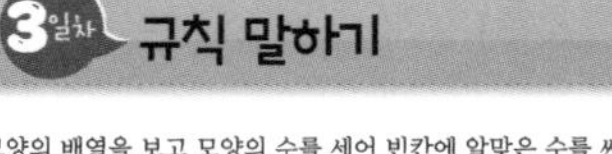

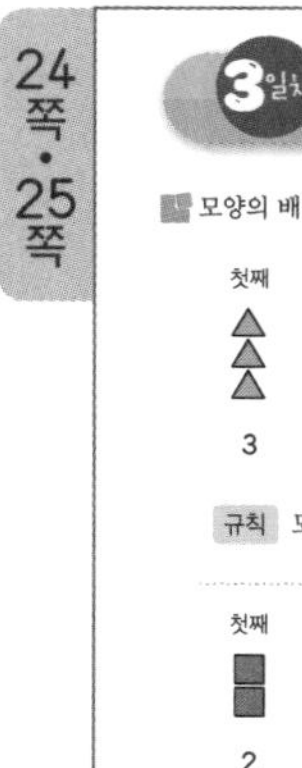

3일차 규칙 말하기

모양의 배열을 보고 모양의 수를 세어 빈칸에 알맞은 수를 써넣으세요.

첫째 둘째 셋째 넷째

3 +3 6 +3 9 +3 12

규칙 모양의 수가 3개에서 시작하여 3개씩 늘어납니다.

첫째 둘째 셋째 넷째

2 4 6 8

규칙 모양의 수가 2개에서 시작하여 2개씩 늘어납니다.

첫째 둘째 셋째 넷째

5 10 15 20

규칙 모양의 수가 5개에서 시작하여 5개씩 늘어납니다.

월 일

모양의 배열을 보고 넷째 모양을 그리고 모양의 수가 늘어나는 규칙을 써 보세요.

첫째 둘째 셋째 넷째

규칙 모양의 수가 2개에서 시작하여 2개씩 늘어납니다.

첫째 둘째 셋째 넷째

규칙 모양의 수가 4개에서 시작하여 4개씩 늘어납니다.

첫째 둘째 셋째 넷째

규칙 모양의 수가 3개에서 시작하여 3개씩 늘어납니다.

4일차 모양의 수

모양의 배열에서 규칙을 찾아 표를 완성해 보세요.

첫째 둘째 셋째 넷째

순서	첫째	둘째	셋째	넷째	다섯째	여섯째
모양의 수(개)	2	4	6	8	10	12
	2×1	2×2	2×3	2×4	2×5	2×6

모양의 수가 2개에서 시작하여 2개씩 늘어납니다.

첫째 둘째 셋째 넷째

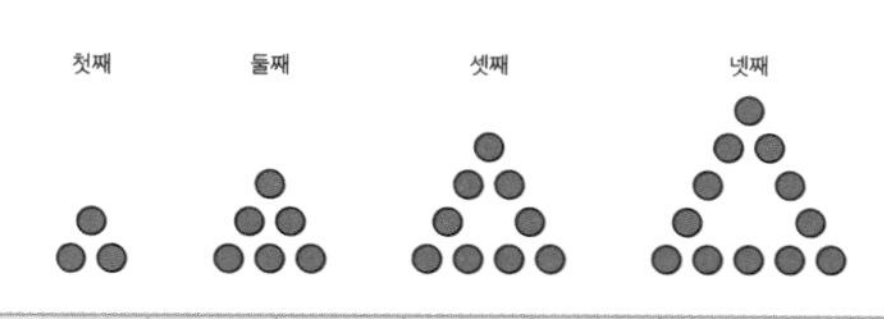

순서	첫째	둘째	셋째	넷째	다섯째	여섯째
모양의 수(개)	3	6	9	12	15	18
	1×3	2×3	3×3	4×3	5×3	6×3

모양의 수가 3개에서 시작하여 3개씩 늘어납니다.

월 일

물음에 답하세요.

규칙에 따라 모양을 배열합니다. 다섯째 배열에서 필요한 ■ 모양은 몇 개일까요?

첫째 둘째 셋째 넷째

1×4 2×4 3×4 4×4

(20)개

모양의 수가 4개에서 시작하여 4개씩 늘어납니다.
순서를 나타내는 수에 4를 곱하면 되므로
다섯째 모양의 수는 5×4=20(개)입니다.

규칙에 따라 모양을 배열합니다. 여섯째 배열에서 필요한 ⬡ 모양은 몇 개일까요?

첫째 둘째 셋째

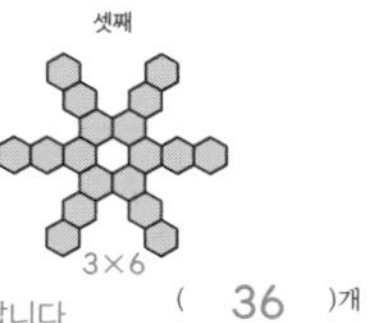

1×6 2×6 3×6

(36)개

모양의 수가 6개에서 시작하여 6개씩 늘어납니다.
순서를 나타내는 수에 6을 곱하면 되므로
여섯째 모양의 수는 6×6=36(개)입니다.

28쪽·29쪽

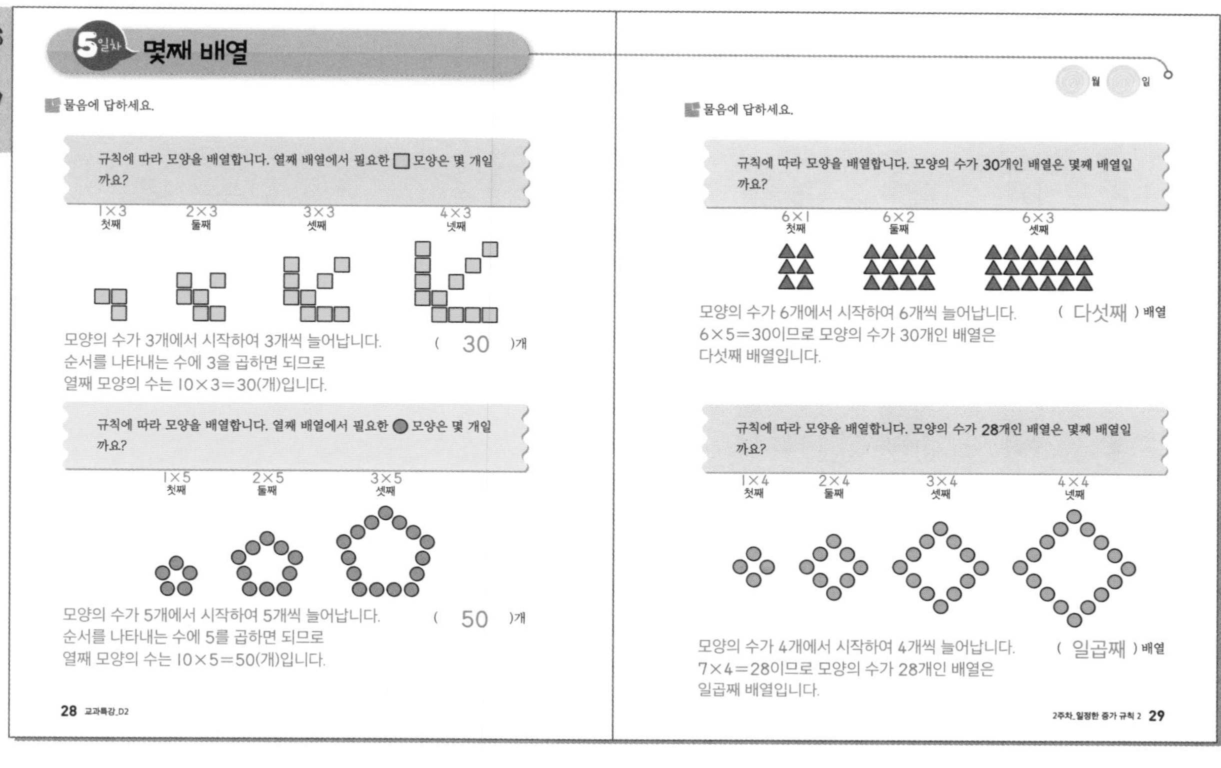
5일차 몇째 배열

물음에 답하세요.

규칙에 따라 모양을 배열합니다. 열째 배열에서 필요한 □ 모양은 몇 개일까요?

1×3 첫째 / 2×3 둘째 / 3×3 셋째 / 4×3 넷째

모양의 수가 3개에서 시작하여 3개씩 늘어납니다.
순서를 나타내는 수에 3을 곱하면 되므로
열째 모양의 수는 10×3=30(개)입니다.
(30)개

규칙에 따라 모양을 배열합니다. 열째 배열에서 필요한 ● 모양은 몇 개일까요?

1×5 첫째 / 2×5 둘째 / 3×5 셋째

모양의 수가 5개에서 시작하여 5개씩 늘어납니다.
순서를 나타내는 수에 5를 곱하면 되므로
열째 모양의 수는 10×5=50(개)입니다.
(50)개

28 교과특강_D2

월 일

물음에 답하세요.

규칙에 따라 모양을 배열합니다. 모양의 수가 30개인 배열은 몇째 배열일까요?

6×1 첫째 / 6×2 둘째 / 6×3 셋째

모양의 수가 6개에서 시작하여 6개씩 늘어납니다.
6×5=30이므로 모양의 수가 30개인 배열은
다섯째 배열입니다.
(다섯째)배열

규칙에 따라 모양을 배열합니다. 모양의 수가 28개인 배열은 몇째 배열일까요?

1×4 첫째 / 2×4 둘째 / 3×4 셋째 / 4×4 넷째

모양의 수가 4개에서 시작하여 4개씩 늘어납니다.
7×4=28이므로 모양의 수가 28개인 배열은
일곱째 배열입니다.
(일곱째)배열

2주차_일정한 증가 규칙 2 29

30쪽

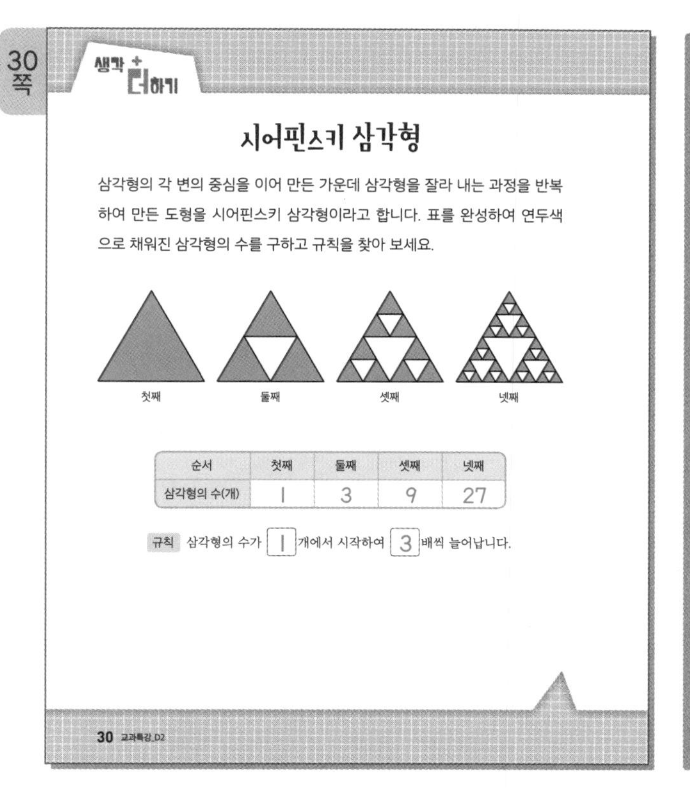
생각 더하기

시어핀스키 삼각형

삼각형의 각 변의 중심을 이어 만든 가운데 삼각형을 잘라 내는 과정을 반복하여 만든 도형을 시어핀스키 삼각형이라고 합니다. 표를 완성하여 연두색으로 채워진 삼각형의 수를 구하고 규칙을 찾아 보세요.

첫째 / 둘째 / 셋째 / 넷째

순서	첫째	둘째	셋째	넷째
삼각형의 수(개)	1	3	9	27

규칙 삼각형의 수가 1개에서 시작하여 3배씩 늘어납니다.

30 교과특강_D2

| 도형 배열과 곱셈식 1 |

1부터 연속된 홀수의 합을 도형의 배열로 나타내면 정사각형 모양을 만들 수 있으므로 □×□로 나타낼 수 있습니다.

순서	첫째	둘째	셋째	넷째
도형 배열				
덧셈식	1	1+3	1+3+5	1+3+5+7
곱셈식	1×1	2×2	3×3	4×4

연속된 수의 합으로 나타낼 수도 있습니다.

순서	첫째	둘째	셋째	넷째
도형 배열				
덧셈식	1	1+2+1	1+2+3+2+1	1+2+3+4+3+2+1

정답

3주차: 늘어나는 수의 규칙

32쪽·33쪽

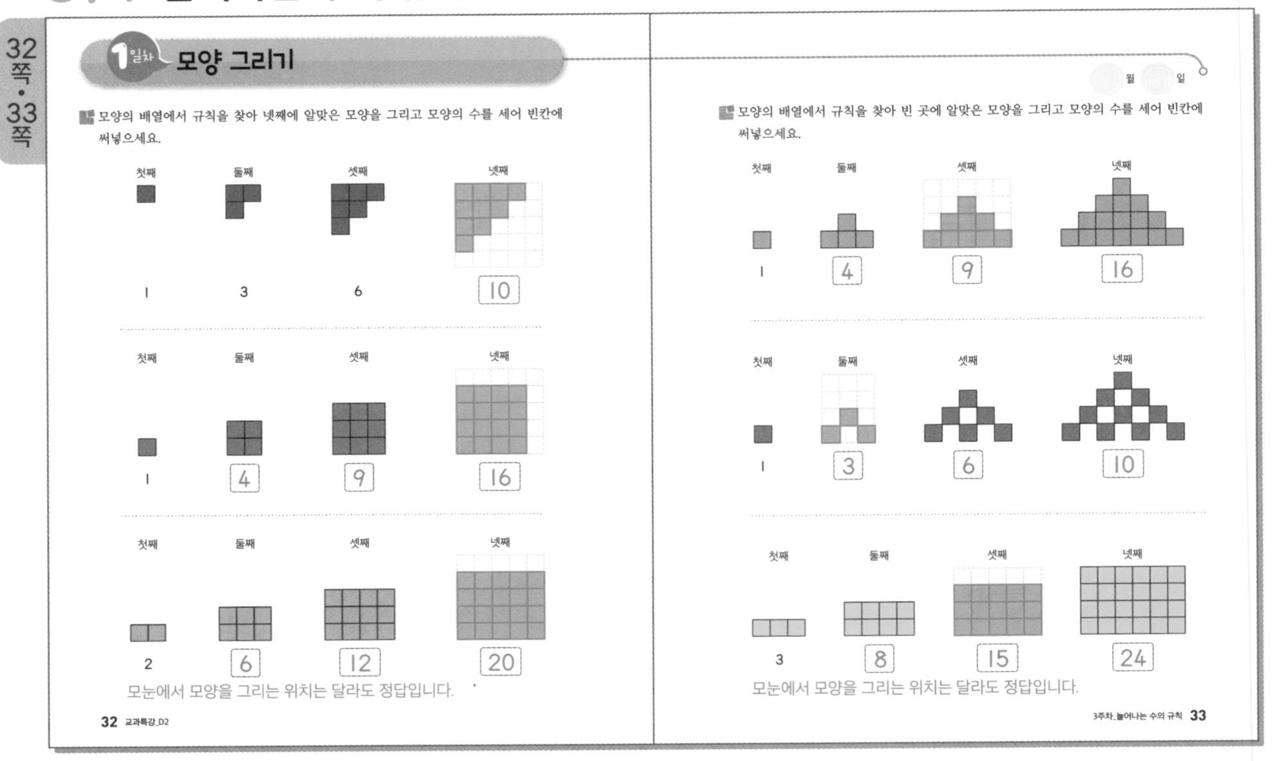

1일차 모양 그리기

모양의 배열에서 규칙을 찾아 넷째에 알맞은 모양을 그리고 모양의 수를 세어 빈칸에 써넣으세요.

첫째	둘째	셋째	넷째
1	3	6	10
1	4	9	16
2	6	12	20

모눈에서 모양을 그리는 위치는 달라도 정답입니다.

32 교과특강_D2

월 일

모양의 배열에서 규칙을 찾아 빈 곳에 알맞은 모양을 그리고 모양의 수를 세어 빈칸에 써넣으세요.

첫째	둘째	셋째	넷째
1	4	9	16
1	3	6	10
3	8	15	24

모눈에서 모양을 그리는 위치는 달라도 정답입니다.

3주차_늘어나는 수의 규칙 33

34쪽·35쪽

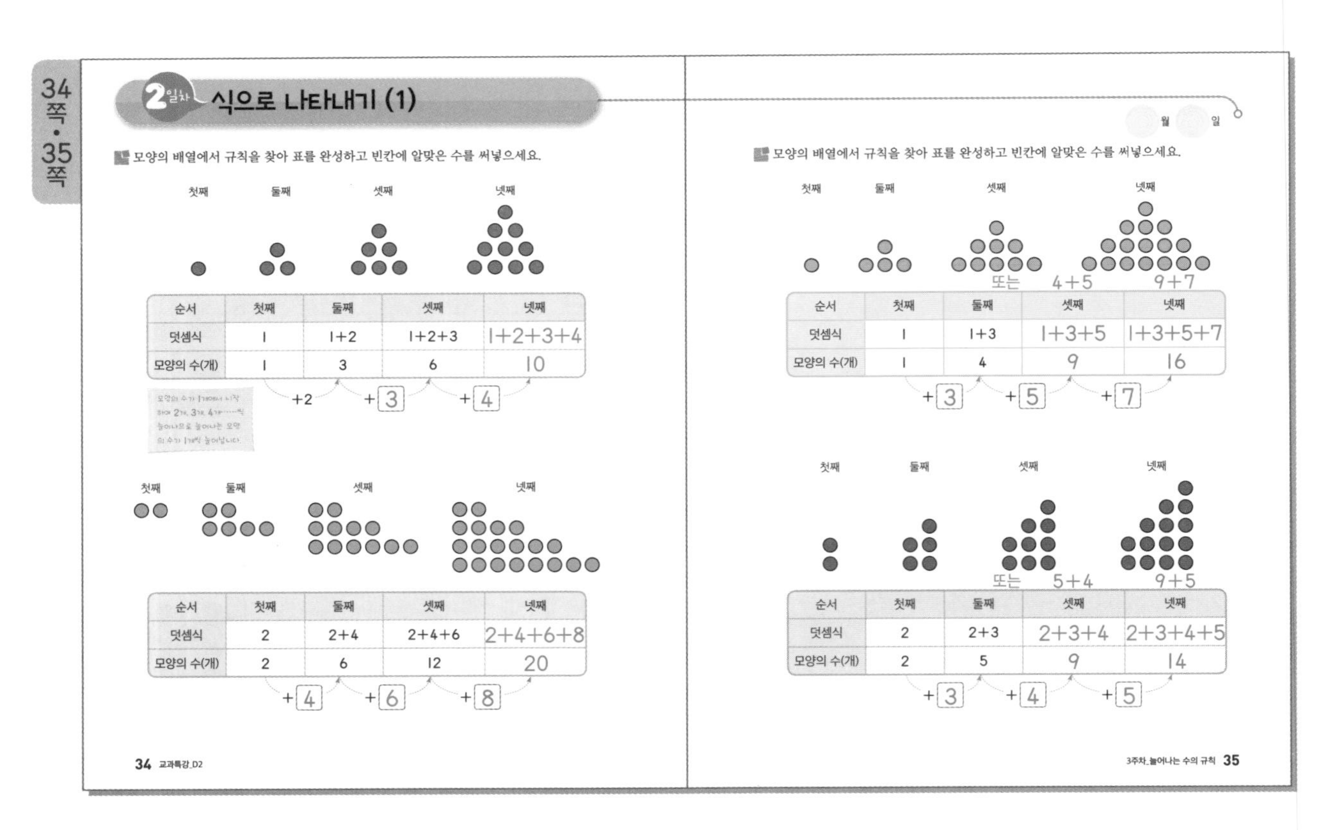

2일차 식으로 나타내기 (1)

모양의 배열에서 규칙을 찾아 표를 완성하고 빈칸에 알맞은 수를 써넣으세요.

순서	첫째	둘째	셋째	넷째
덧셈식	1	1+2	1+2+3	1+2+3+4
모양의 수(개)	1	3	6	10

+2 +3 +4

모양의 수가 1개에서 시작하여 2개, 3개, 4개……씩 늘어나므로 늘어나는 모양의 수가 1개씩 늘어납니다.

순서	첫째	둘째	셋째	넷째
덧셈식	2	2+4	2+4+6	2+4+6+8
모양의 수(개)	2	6	12	20

+4 +6 +8

34 교과특강_D2

월 일

모양의 배열에서 규칙을 찾아 표를 완성하고 빈칸에 알맞은 수를 써넣으세요.

또는 4+5, 9+7

순서	첫째	둘째	셋째	넷째
덧셈식	1	1+3	1+3+5	1+3+5+7
모양의 수(개)	1	4	9	16

+3 +5 +7

또는 5+4, 9+5

순서	첫째	둘째	셋째	넷째
덧셈식	2	2+3	2+3+4	2+3+4+5
모양의 수(개)	2	5	9	14

+3 +4 +5

3주차_늘어나는 수의 규칙 35

3일차 식으로 나타내기 (2)

모양의 배열에서 규칙을 찾아 표를 완성하고 빈칸에 알맞은 수를 써넣으세요.

첫째 둘째 셋째 넷째

덧셈식으로 나타내기

또는 4+5 9+7

순서	첫째	둘째	셋째	넷째
덧셈식	1	1+3	1+3+5	1+3+5+7
모양의 수(개)	1	4	9	16

+3 +5 +7

곱셈식으로 나타내기

순서	첫째	둘째	셋째	넷째
곱셈식	1×1	2×2	3×3	4×4
모양의 수(개)	1	4	9	16

+3 +5 +7

모양을 1개부터 3개, 5개, 7개……를 배열하면 정사각형 모양으로 배열할 수 있습니다.

월 일

모양의 배열에서 규칙을 찾아 표를 완성하고 빈칸에 알맞은 수를 써넣으세요.

첫째 둘째 셋째 넷째

덧셈식으로 나타내기

또는 6+6 12+8

순서	첫째	둘째	셋째	넷째
덧셈식	2	2+4	2+4+6	2+4+6+8
모양의 수(개)	2	6	12	20

+4 +6 +8

곱셈식으로 나타내기

순서	첫째	둘째	셋째	넷째
곱셈식	2×1	3×2	4×3	5×4
모양의 수(개)	2	6	12	20

+4 +6 +8

모양을 2개부터 4개, 6개, 8개……를 배열하면 직사각형 모양으로 배열할 수 있습니다.

4일차 규칙 말하기

모양의 배열을 보고 모양의 수를 세어 빈칸에 알맞은 수를 써넣으세요.

첫째 둘째 셋째 넷째

1 +2 3 +3 6 +4 10

규칙 모양의 수가 1개에서 시작하여 2개, 3개, 4개……씩 늘어납니다.

첫째 둘째 셋째 넷째

1 4 9 16

규칙 모양의 수가 1개에서 시작하여 3개, 5개, 7개……씩 늘어납니다.

첫째 둘째 셋째 넷째

2 6 12 20

규칙 모양의 수가 2개에서 시작하여 4개, 6개, 8개……씩 늘어납니다.

월 일

모양의 배열을 보고 넷째 모양을 그리고 모양의 수가 늘어나는 규칙을 써 보세요.

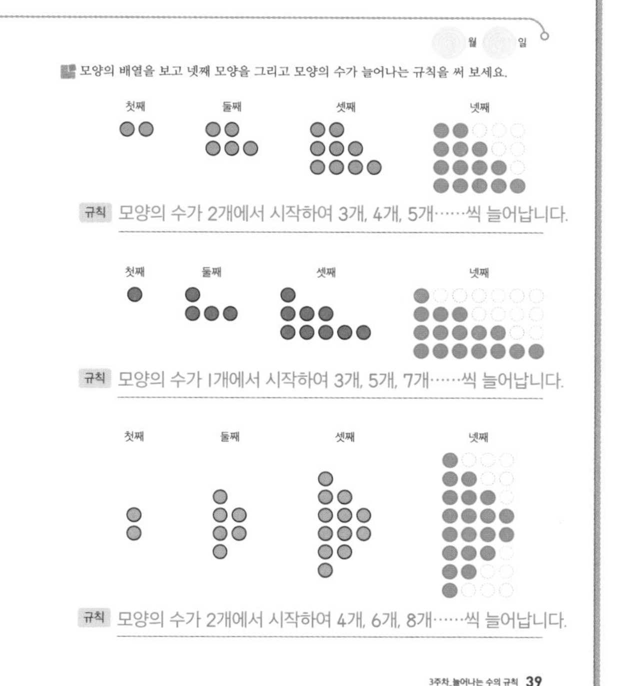

첫째 둘째 셋째 넷째

규칙 모양의 수가 2개에서 시작하여 3개, 4개, 5개……씩 늘어납니다.

첫째 둘째 셋째 넷째

규칙 모양의 수가 1개에서 시작하여 3개, 5개, 7개……씩 늘어납니다.

첫째 둘째 셋째 넷째

규칙 모양의 수가 2개에서 시작하여 4개, 6개, 8개……씩 늘어납니다.

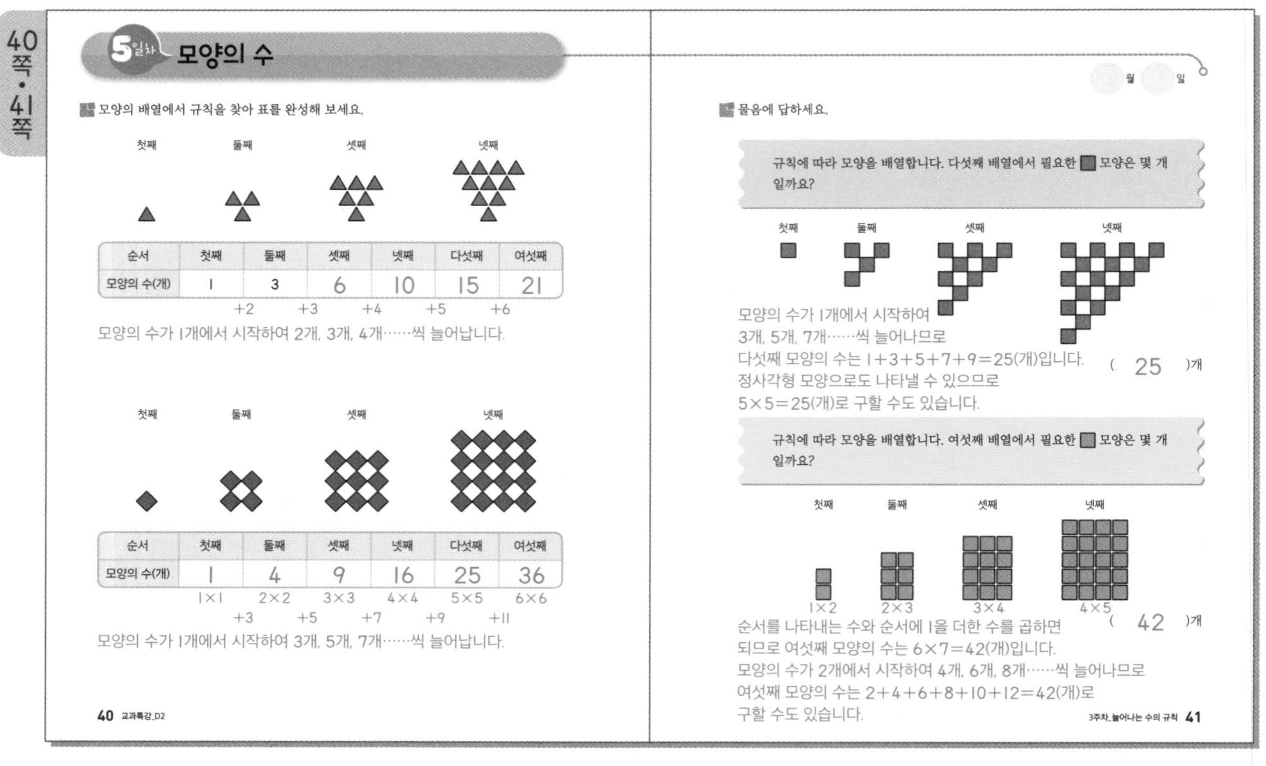
40쪽·41쪽

5일차 모양의 수

모양의 배열에서 규칙을 찾아 표를 완성해 보세요.

첫째 둘째 셋째 넷째

순서	첫째	둘째	셋째	넷째	다섯째	여섯째
모양의 수(개)	1	3	6	10	15	21

+2 +3 +4 +5 +6

모양의 수가 1개에서 시작하여 2개, 3개, 4개……씩 늘어납니다.

첫째 둘째 셋째 넷째

순서	첫째	둘째	셋째	넷째	다섯째	여섯째
모양의 수(개)	1	4	9	16	25	36

1×1 2×2 3×3 4×4 5×5 6×6

+3 +5 +7 +9 +11

모양의 수가 1개에서 시작하여 3개, 5개, 7개……씩 늘어납니다.

40 교과특강_D2

월 일

물음에 답하세요.

규칙에 따라 모양을 배열합니다. 다섯째 배열에서 필요한 ■ 모양은 몇 개일까요?

첫째 둘째 셋째 넷째

모양의 수가 1개에서 시작하여 3개, 5개, 7개……씩 늘어나므로 다섯째 모양의 수는 1+3+5+7+9=25(개)입니다. 정사각형 모양으로도 나타낼 수 있으므로 5×5=25(개)로 구할 수도 있습니다.

(25)개

규칙에 따라 모양을 배열합니다. 여섯째 배열에서 필요한 ■ 모양은 몇 개일까요?

첫째 둘째 셋째 넷째

1×2 2×3 3×4 4×5

순서를 나타내는 수와 순서에 1을 더한 수를 곱하면 되므로 여섯째 모양의 수는 6×7=42(개)입니다. 모양의 수가 2개에서 시작하여 4개, 6개, 8개……씩 늘어나므로 여섯째 모양의 수는 2+4+6+8+10+12=42(개)로 구할 수도 있습니다.

(42)개

3주차_늘어나는 수의 규칙 41

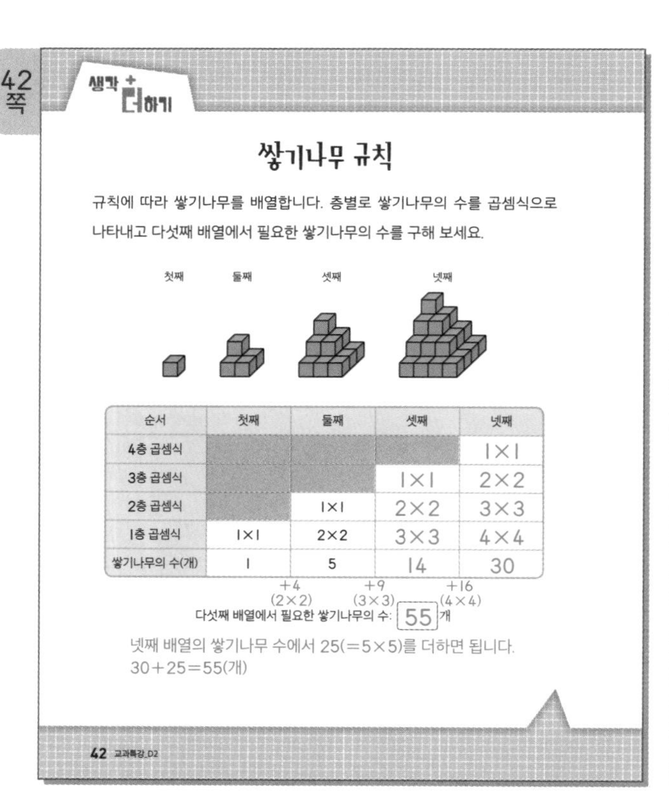
42쪽

생각 더하기

쌓기나무 규칙

규칙에 따라 쌓기나무를 배열합니다. 층별로 쌓기나무의 수를 곱셈식으로 나타내고 다섯째 배열에서 필요한 쌓기나무의 수를 구해 보세요.

첫째 둘째 셋째 넷째

순서	첫째	둘째	셋째	넷째
4층 곱셈식				1×1
3층 곱셈식			1×1	2×2
2층 곱셈식		1×1	2×2	3×3
1층 곱셈식	1×1	2×2	3×3	4×4
쌓기나무의 수(개)	1	5	14	30

+4 (2×2) +9 (3×3) +16 (4×4)

다섯째 배열에서 필요한 쌓기나무의 수: 55 개

넷째 배열의 쌓기나무 수에서 25(=5×5)를 더하면 됩니다.
30+25=55(개)

42 교과특강_D2

| 도형 배열과 곱셈식 2 |

2부터 연속된 짝수의 합을 도형의 배열로 나타내면 직사각형 모양을 만들 수 있으므로 □×(□+1)로 나타낼 수 있습니다.

순서	첫째	둘째	셋째	넷째
도형 배열				
덧셈식	2	2+4	2+4+6	2+4+6+8
곱셈식	2×1	3×2	4×3	5×4

연속된 수의 합으로 나타낼 수도 있습니다.

순서	첫째	둘째	셋째	넷째
도형 배열				
덧셈식	1+1	1+2 +2+1	1+2+3 +3+2+1	1+2+3+4 +4+3+2+1

4주차: 바둑돌 규칙

44쪽·45쪽

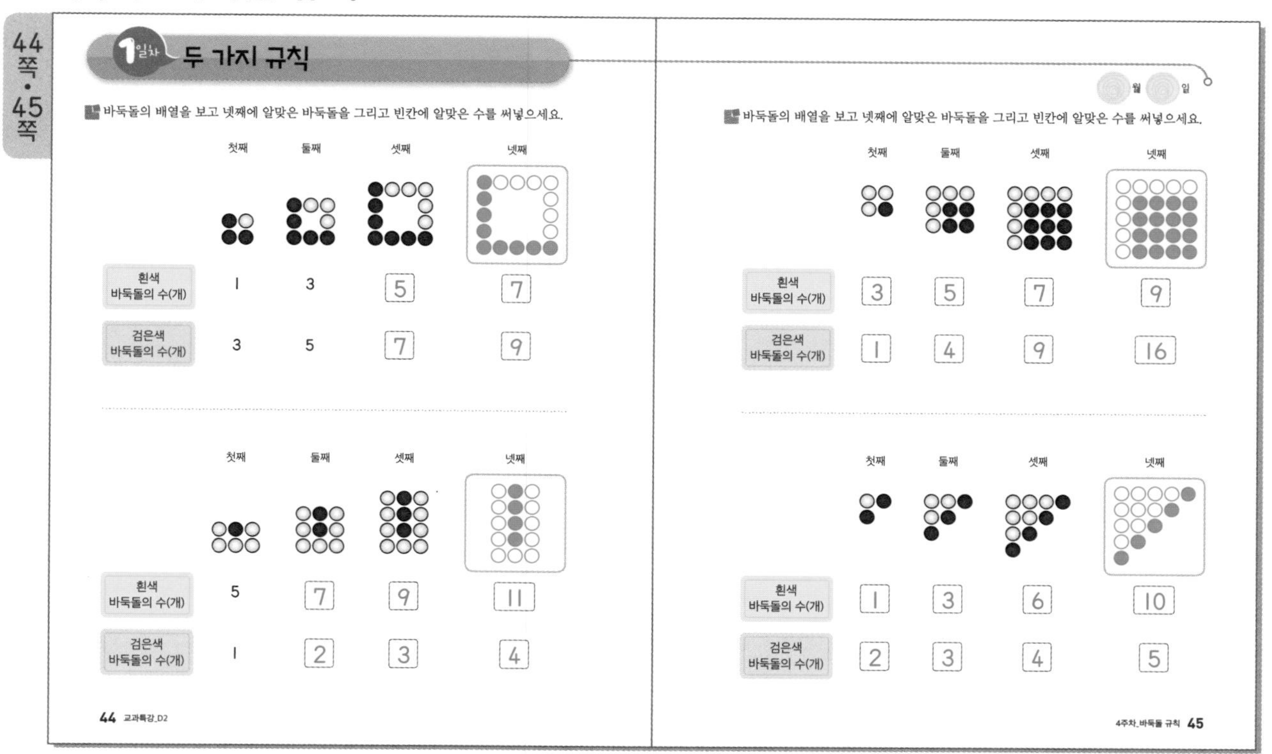

1일차 두 가지 규칙

바둑돌의 배열을 보고 넷째에 알맞은 바둑돌을 그리고 빈칸에 알맞은 수를 써넣으세요.

	첫째	둘째	셋째	넷째
흰색 바둑돌의 수(개)	1	3	5	7
검은색 바둑돌의 수(개)	3	5	7	9

	첫째	둘째	셋째	넷째
흰색 바둑돌의 수(개)	5	7	9	11
검은색 바둑돌의 수(개)	1	2	3	4

44 교과특강_D2

월 일

바둑돌의 배열을 보고 넷째에 알맞은 바둑돌을 그리고 빈칸에 알맞은 수를 써넣으세요.

	첫째	둘째	셋째	넷째
흰색 바둑돌의 수(개)	3	5	7	9
검은색 바둑돌의 수(개)	1	4	9	16

	첫째	둘째	셋째	넷째
흰색 바둑돌의 수(개)	1	3	6	10
검은색 바둑돌의 수(개)	2	3	4	5

4주차_바둑돌 규칙 45

46쪽·47쪽

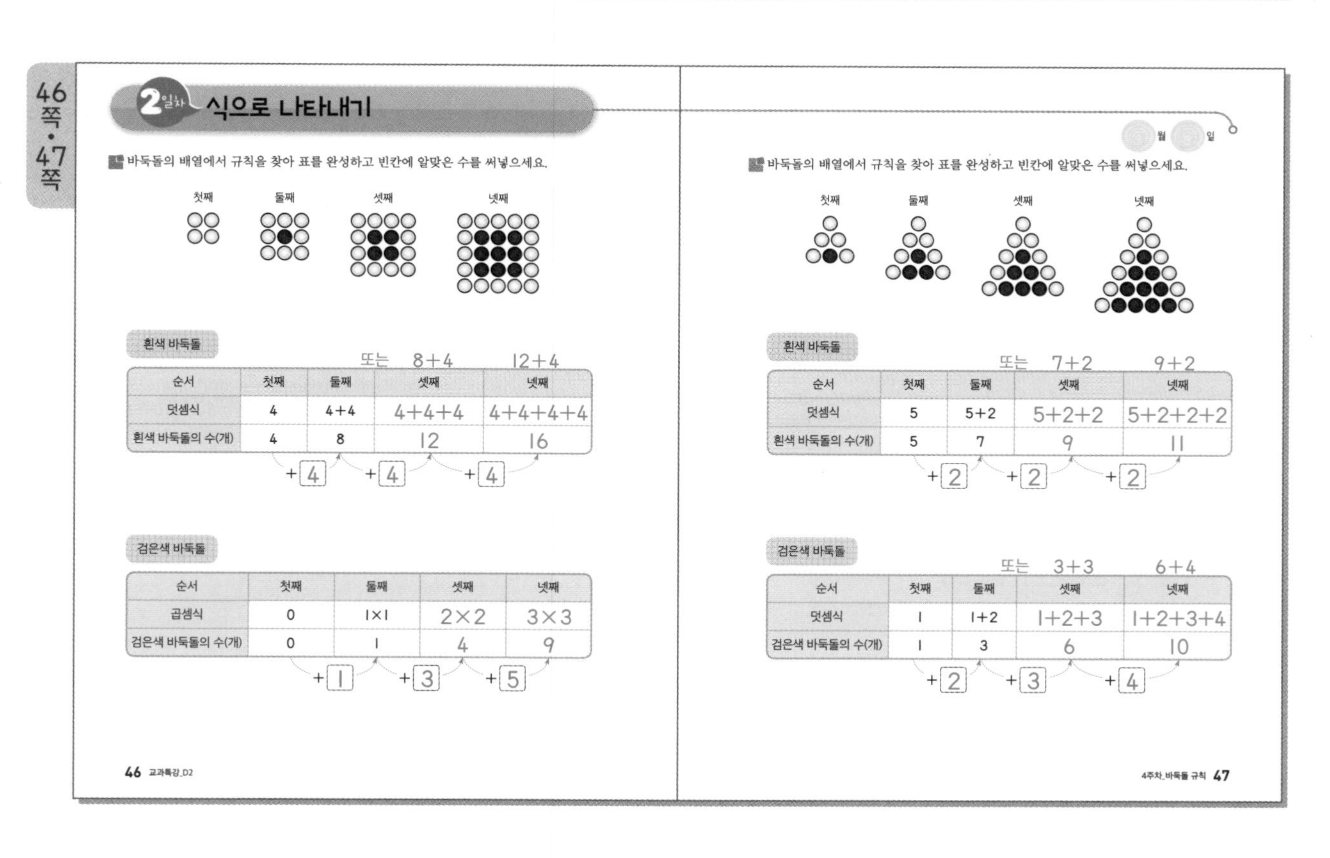

2일차 식으로 나타내기

바둑돌의 배열에서 규칙을 찾아 표를 완성하고 빈칸에 알맞은 수를 써넣으세요.

흰색 바둑돌

또는 8+4, 12+4

순서	첫째	둘째	셋째	넷째
덧셈식	4	4+4	4+4+4	4+4+4+4
흰색 바둑돌의 수(개)	4	8	12	16

+4 +4 +4

검은색 바둑돌

순서	첫째	둘째	셋째	넷째
곱셈식	0	1×1	2×2	3×3
검은색 바둑돌의 수(개)	0	1	4	9

+1 +3 +5

46 교과특강_D2

월 일

바둑돌의 배열에서 규칙을 찾아 표를 완성하고 빈칸에 알맞은 수를 써넣으세요.

흰색 바둑돌

또는 7+2, 9+2

순서	첫째	둘째	셋째	넷째
덧셈식	5	5+2	5+2+2	5+2+2+2
흰색 바둑돌의 수(개)	5	7	9	11

+2 +2 +2

검은색 바둑돌

또는 3+3, 6+4

순서	첫째	둘째	셋째	넷째
덧셈식	1	1+2	1+2+3	1+2+3+4
검은색 바둑돌의 수(개)	1	3	6	10

+2 +3 +4

4주차_바둑돌 규칙 47

48쪽·49쪽

3일차 규칙 말하기

바둑돌의 배열을 보고 빈칸에 알맞은 수를 써넣으세요.

첫째 둘째 셋째 넷째

   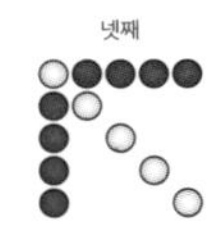

규칙 1 흰색 바둑돌의 수가 2 개에서 시작하여 1 개씩 늘어납니다.

규칙 2 검은색 바둑돌의 수가 2 개에서 시작하여 2 개씩 늘어납니다.

첫째 둘째 셋째 넷째

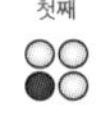   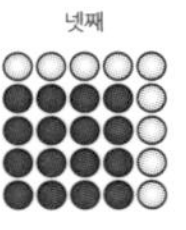

규칙 1 흰색 바둑돌의 수가 3 개에서 시작하여 2 개씩 늘어납니다.

규칙 2 검은색 바둑돌의 수가 1개에서 시작하여 3 개, 5 개, 7 개……씩 늘어납니다.

월 일

바둑돌의 배열을 보고 넷째에 알맞은 바둑돌을 그리고 흰색 바둑돌과 검은색 바둑돌의 수가 늘어나는 규칙을 각각 써 보세요.

첫째 둘째 셋째 넷째

 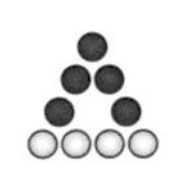 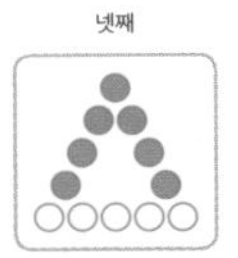

규칙 1 흰색 바둑돌의 수가 2개에서 시작하여 1개씩 늘어납니다.

규칙 2 검은색 바둑돌의 수가 1개에서 시작하여 2개씩 늘어납니다.

첫째 둘째 셋째 넷째

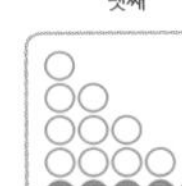

규칙 1 흰색 바둑돌의 수가 1개에서 시작하여 2개, 3개, 4개……씩 늘어납니다.

규칙 2 검은색 바둑돌의 수가 2개에서 시작하여 1개씩 늘어납니다.

50쪽·51쪽

4일차 바둑돌의 수

바둑돌의 배열에서 규칙을 찾아 표를 완성해 보세요.

첫째 둘째 셋째 넷째

순서	첫째	둘째	셋째	넷째	다섯째	여섯째
흰색 바둑돌의 수(개)	1	+1 2	+1 3	+1 4	+1 5	+1 6
검은색 바둑돌의 수(개)	1	+3 4	+5 9	+7 16	+9 25	+11 36
	1×1	2×2	3×3	4×4	5×5	6×6

흰색 바둑돌: 1개에서 시작하여 1개씩 늘어납니다.
검은색 바둑돌: 1개에서 시작하여 3개, 5개, 7개……씩 늘어납니다.

첫째 둘째 셋째 넷째

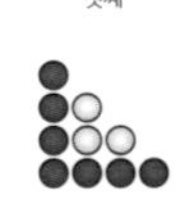 

순서	첫째	둘째	셋째	넷째	다섯째	여섯째
흰색 바둑돌의 수(개)	0	+1 1	+2 3	+3 6	+4 10	+5 15
검은색 바둑돌의 수(개)	3	+2 5	+2 7	+2 9	+2 11	+2 13

흰색 바둑돌: 0개에서 시작하여 1개, 2개, 3개……씩 늘어납니다.
검은색 바둑돌: 3개에서 시작하여 2개씩 늘어납니다.

월 일

물음에 답하세요.

규칙에 따라 바둑돌을 배열합니다. 다섯째 배열에서 필요한 흰색 바둑돌과 검은색 바둑돌은 각각 몇 개일까요?

흰색 바둑돌: 0개에서 시작하여 2개씩 늘어납니다.
검은색 바둑돌: 2개에서 시작하여 2개씩 늘어납니다.

순서	첫째	둘째	셋째	넷째	다섯째
흰색 바둑돌의 수(개)	0	2	4	6	8
검은색 바둑돌의 수(개)	2 (1×2)	4 (2×2)	6 (3×2)	8 (4×2)	10 (5×2)

흰색 바둑돌 (8)개, 검은색 바둑돌 (10)개

규칙에 따라 바둑돌을 배열합니다. 여섯째 배열에서 필요한 흰색 바둑돌과 검은색 바둑돌은 각각 몇 개일까요?

흰색 바둑돌: 0개에서 시작하여 1개, 3개, 5개……씩 늘어납니다.
검은색 바둑돌: 4개에서 시작하여 4개씩 늘어납니다.

순서	첫째	둘째	셋째	넷째	다섯째	여섯째
흰색 바둑돌의 수(개)	0 (0×0)	1 (1×1)	4 (2×2)	9 (3×3)	16 (4×4)	25 (5×5)
검은색 바둑돌의 수(개)	4 (1×4)	8 (2×4)	12 (3×4)	16 (4×4)	20 (5×4)	24 (6×4)

흰색 바둑돌 (25)개, 검은색 바둑돌 (24)개

5일차 몇째 배열

월 일

물음에 답하세요.

규칙에 따라 바둑돌을 배열합니다. 흰색 바둑돌이 5개인 배열에서 검은색 바둑돌은 몇 개일까요?

흰색 바둑돌: 2개에서 시작하여 1개씩 늘어납니다.
검은색 바둑돌: 1개에서 시작하여 2개, 3개, 4개……씩 늘어납니다.

순서	첫째	둘째	셋째	넷째
흰색 바둑돌의 수(개)	2	3	4	5
검은색 바둑돌의 수(개)	1	3	6	10

(10)개

규칙에 따라 바둑돌을 배열합니다. 검은색 바둑돌이 5개인 배열에서 흰색 바둑돌은 몇 개일까요?

검은색 바둑돌: 1개에서 시작하여 1개씩 늘어납니다.
흰색 바둑돌: 0개에서 시작하여 2개, 4개, 6개……씩 늘어납니다.

순서	첫째	둘째	셋째	넷째	다섯째
검은색 바둑돌의 수(개)	1	2	3	4	5
흰색 바둑돌의 수(개)	0	2	6	12	20

(20)개

물음에 답하세요.

규칙에 따라 바둑돌을 배열합니다. 흰색 바둑돌이 25개인 배열에서 검은색 바둑돌은 몇 개일까요?

흰색 바둑돌: 1개에서 시작하여 3개, 5개, 7개……씩 늘어납니다.
검은색 바둑돌: 1개에서 시작하여 2개, 3개, 4개……씩 늘어납니다.

순서	첫째	둘째	셋째	넷째	다섯째
흰색 바둑돌의 수(개)	1	4	9	16	25
검은색 바둑돌의 수(개)	1	3	6	10	15

(15)개

규칙에 따라 바둑돌을 배열합니다. 검은색 바둑돌이 13개인 배열에서 흰색 바둑돌은 몇 개일까요?

검은색 바둑돌: 3개에서 시작하여 2개씩 늘어납니다.
흰색 바둑돌: 1개에서 시작하여 3개, 5개, 7개……씩 늘어납니다.

순서	첫째	둘째	셋째	넷째	다섯째	여섯째
검은색 바둑돌의 수(개)	3	5	7	9	11	13
흰색 바둑돌의 수(개)	1	4	9	16	25	36

(36)개

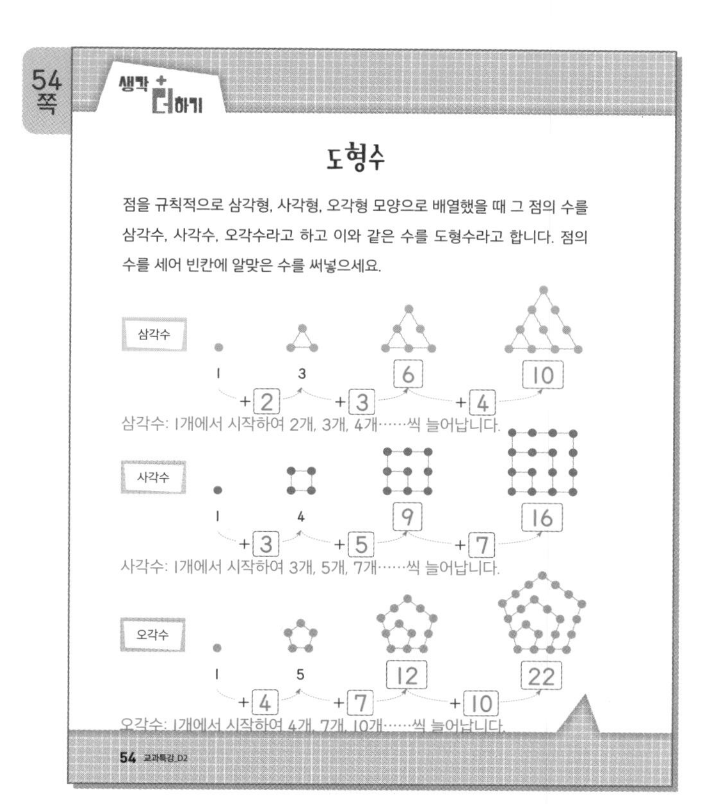

54쪽

생각 + 더하기

도형수

점을 규칙적으로 삼각형, 사각형, 오각형 모양으로 배열했을 때 그 점의 수를 삼각수, 사각수, 오각수라고 하고 이와 같은 수를 도형수라고 합니다. 점의 수를 세어 빈칸에 알맞은 수를 써넣으세요.

삼각수: 1, 3, 6, 10 (+2, +3, +4)

삼각수: 1개에서 시작하여 2개, 3개, 4개……씩 늘어납니다.

사각수: 1, 4, 9, 16 (+3, +5, +7)

사각수: 1개에서 시작하여 3개, 5개, 7개……씩 늘어납니다.

오각수: 1, 5, 12, 22 (+4, +7, +10)

오각수: 1개에서 시작하여 4개, 7개, 10개……씩 늘어납니다.

정답

링크: 여러 가지 규칙

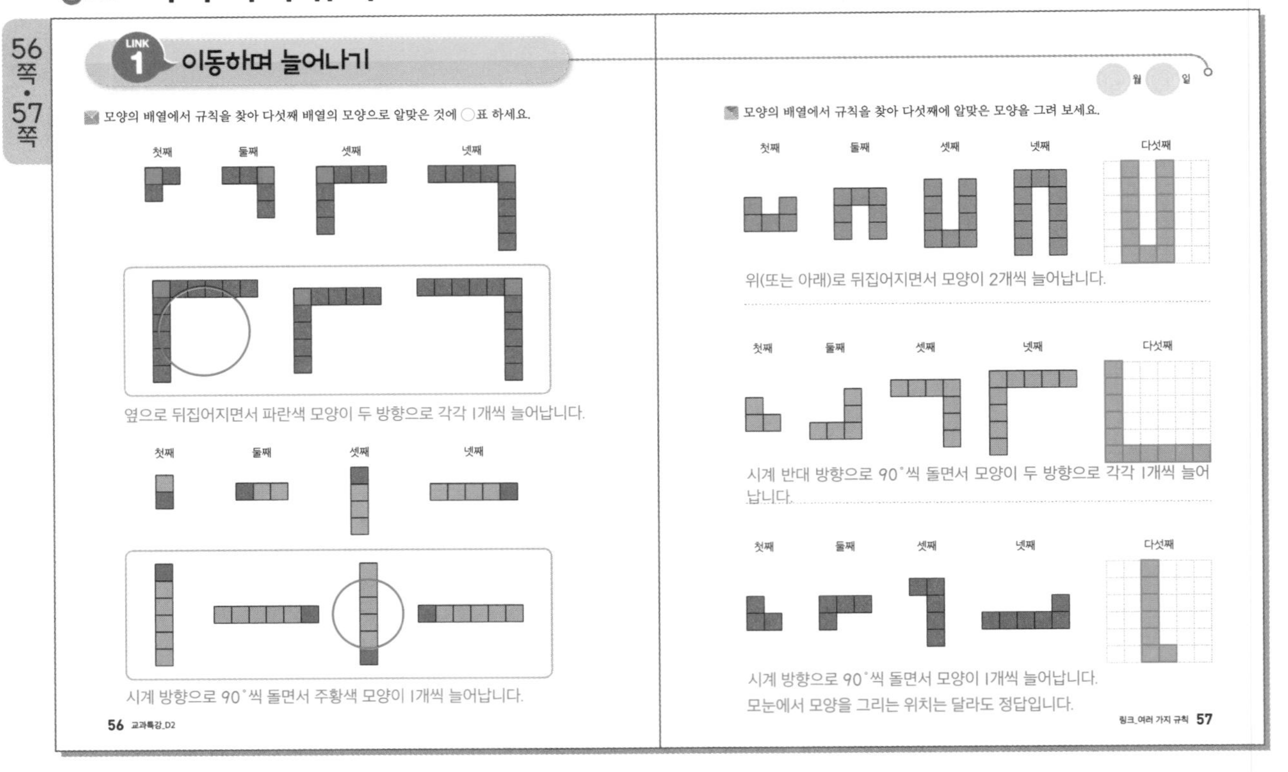
56쪽·57쪽
LINK 1 이동하며 늘어나기
모양의 배열에서 규칙을 찾아 다섯째 배열의 모양으로 알맞은 것에 ○표 하세요.
첫째
둘째
셋째
넷째
옆으로 뒤집어지면서 파란색 모양이 두 방향으로 각각 1개씩 늘어납니다.
시계 방향으로 90°씩 돌면서 주황색 모양이 1개씩 늘어납니다.
56 교과특강_D2
월 일
모양의 배열에서 규칙을 찾아 다섯째에 알맞은 모양을 그려 보세요.
다섯째
위(또는 아래)로 뒤집어지면서 모양이 2개씩 늘어납니다.
시계 반대 방향으로 90°씩 돌면서 모양이 두 방향으로 각각 1개씩 늘어납니다.
시계 방향으로 90°씩 돌면서 모양이 1개씩 늘어납니다.
모눈에서 모양을 그리는 위치는 달라도 정답입니다.
링크_여러 가지 규칙 57

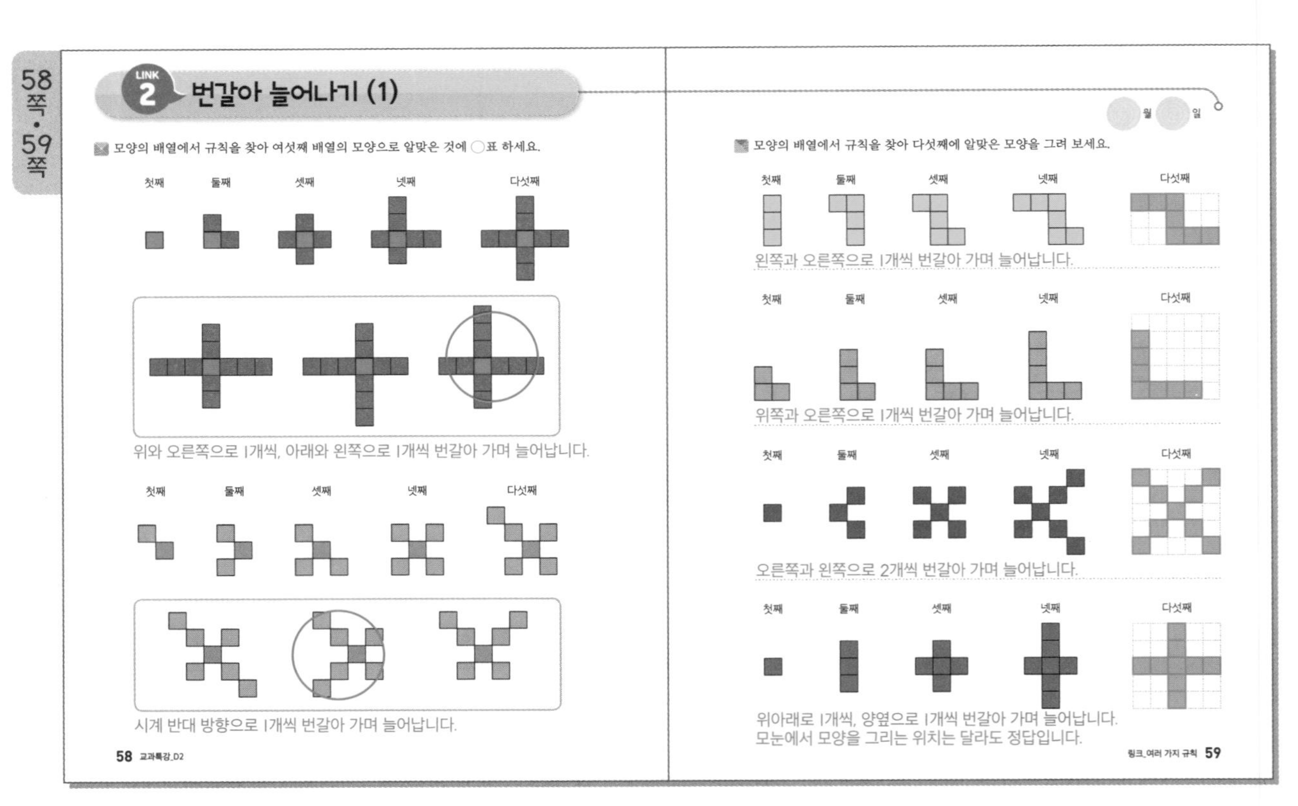
58쪽·59쪽
LINK 2 번갈아 늘어나기 (1)
모양의 배열에서 규칙을 찾아 여섯째 배열의 모양으로 알맞은 것에 ○표 하세요.
첫째
둘째
셋째
넷째
다섯째
위와 오른쪽으로 1개씩, 아래와 왼쪽으로 1개씩 번갈아 가며 늘어납니다.
시계 반대 방향으로 1개씩 번갈아 가며 늘어납니다.
58 교과특강_D2
월 일
모양의 배열에서 규칙을 찾아 다섯째에 알맞은 모양을 그려 보세요.
왼쪽과 오른쪽으로 1개씩 번갈아 가며 늘어납니다.
위쪽과 오른쪽으로 1개씩 번갈아 가며 늘어납니다.
오른쪽과 왼쪽으로 2개씩 번갈아 가며 늘어납니다.
위아래로 1개씩, 양옆으로 1개씩 번갈아 가며 늘어납니다.
모눈에서 모양을 그리는 위치는 달라도 정답입니다.
링크_여러 가지 규칙 59

60쪽 · 61쪽

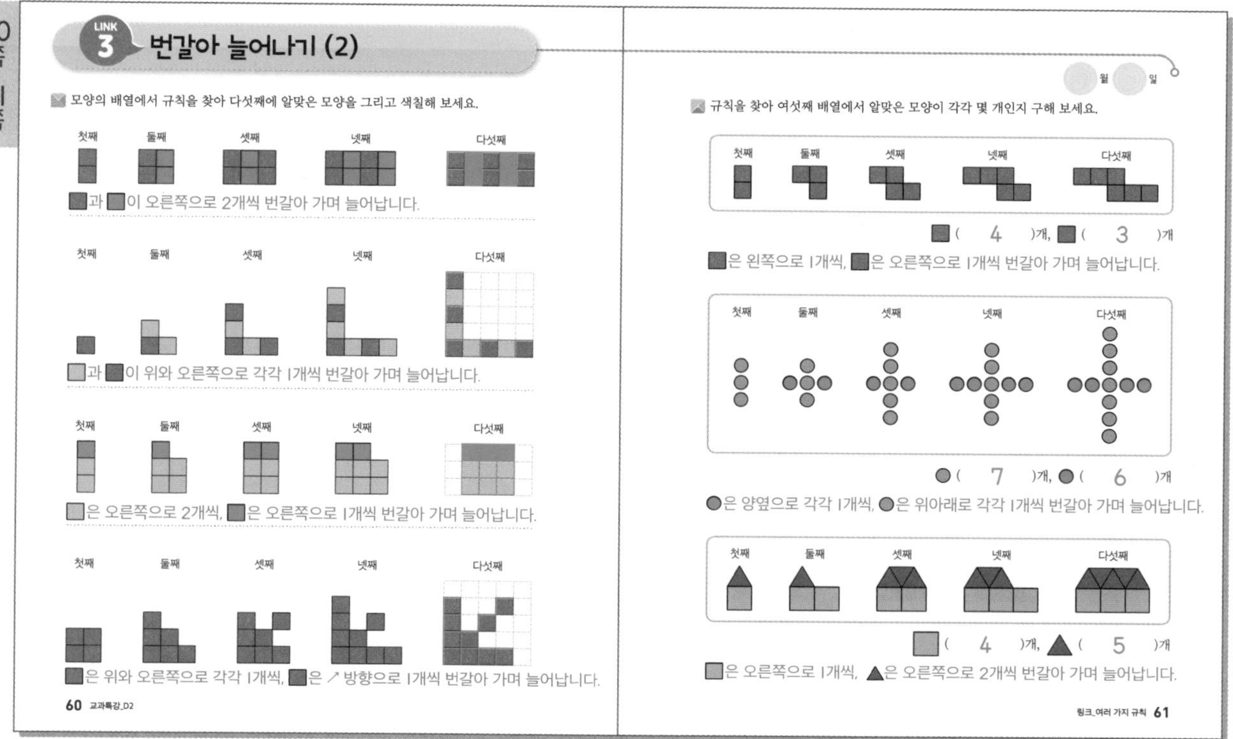

LINK 3 번갈아 늘어나기 (2)

모양의 배열에서 규칙을 찾아 다섯째에 알맞은 모양을 그리고 색칠해 보세요.

첫째 둘째 셋째 넷째 다섯째

□과 □이 오른쪽으로 2개씩 번갈아 가며 늘어납니다.

첫째 둘째 셋째 넷째 다섯째

□과 □이 위와 오른쪽으로 각각 1개씩 번갈아 가며 늘어납니다.

첫째 둘째 셋째 넷째 다섯째

□은 오른쪽으로 2개씩, □은 오른쪽으로 1개씩 번갈아 가며 늘어납니다.

첫째 둘째 셋째 넷째 다섯째

□은 위와 오른쪽으로 각각 1개씩, □은 ↗ 방향으로 1개씩 번갈아 가며 늘어납니다.

60 교과특강_D2

월 일

규칙을 찾아 여섯째 배열에서 알맞은 모양이 각각 몇 개인지 구해 보세요.

첫째 둘째 셋째 넷째 다섯째

□ (4)개, □ (3)개

□은 왼쪽으로 1개씩, □은 오른쪽으로 1개씩 번갈아 가며 늘어납니다.

첫째 둘째 셋째 넷째 다섯째

● (7)개, ● (6)개

●은 양옆으로 각각 1개씩, ●은 위아래로 각각 1개씩 번갈아 가며 늘어납니다.

첫째 둘째 셋째 넷째 다섯째

□ (4)개, ▲ (5)개

□은 오른쪽으로 1개씩, ▲은 오른쪽으로 2개씩 번갈아 가며 늘어납니다.

링크_여러 가지 규칙 61

정답

형성평가

64쪽 · 65쪽

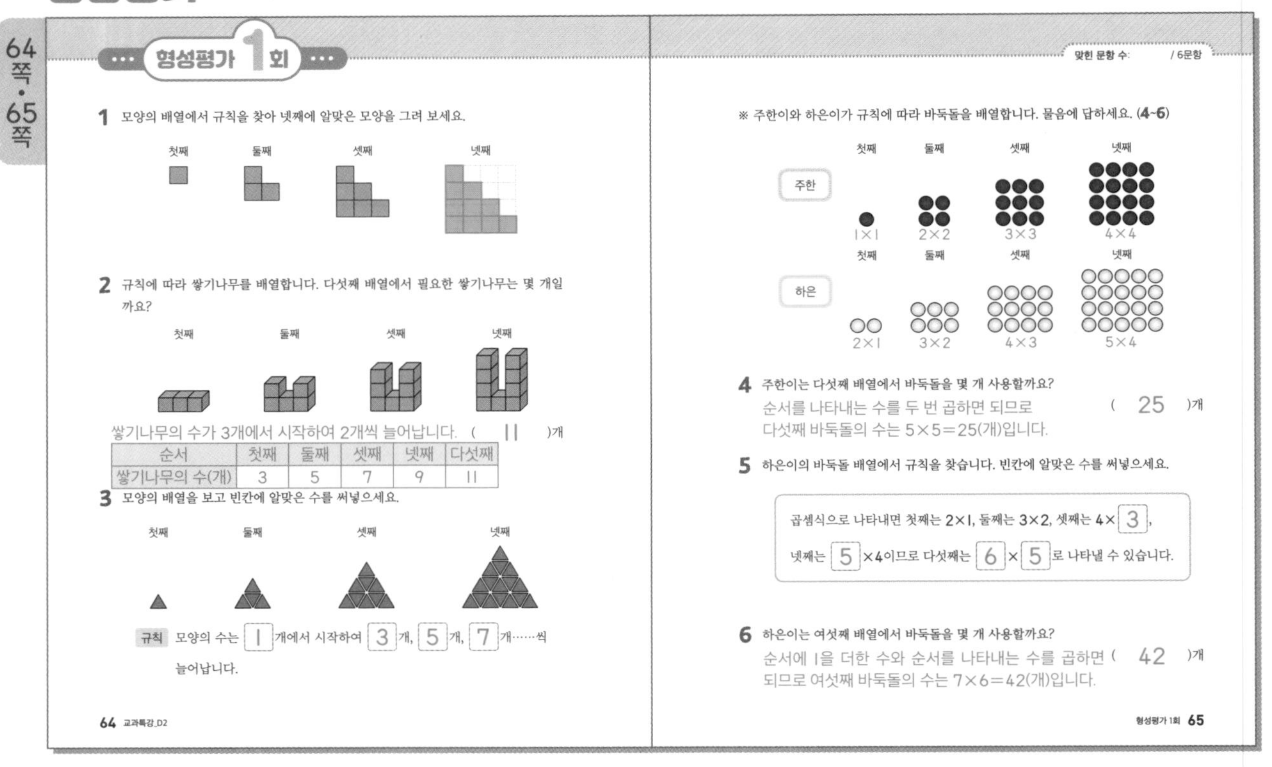

형성평가 1회

맞힌 문항 수: / 6문항

1 모양의 배열에서 규칙을 찾아 넷째에 알맞은 모양을 그려 보세요.

첫째 둘째 셋째 넷째

2 규칙에 따라 쌓기나무를 배열합니다. 다섯째 배열에서 필요한 쌓기나무는 몇 개일까요?

첫째 둘째 셋째 넷째

쌓기나무의 수가 3개에서 시작하여 2개씩 늘어납니다. (11)개

순서	첫째	둘째	셋째	넷째	다섯째
쌓기나무의 수(개)	3	5	7	9	11

3 모양의 배열을 보고 빈칸에 알맞은 수를 써넣으세요.

첫째 둘째 셋째 넷째

규칙 모양의 수는 1 개에서 시작하여 3 개, 5 개, 7 개……씩 늘어납니다.

64 교과특강_D2

※ 주한이와 하은이가 규칙에 따라 바둑돌을 배열합니다. 물음에 답하세요. (4~6)

주한: 첫째 둘째 셋째 넷째 — 1×1, 2×2, 3×3, 4×4

하은: 첫째 둘째 셋째 넷째 — 2×1, 3×2, 4×3, 5×4

4 주한이는 다섯째 배열에서 바둑돌을 몇 개 사용할까요?

순서를 나타내는 수를 두 번 곱하면 되므로 다섯째 바둑돌의 수는 5×5=25(개)입니다. (25)개

5 하은이의 바둑돌 배열에서 규칙을 찾습니다. 빈칸에 알맞은 수를 써넣으세요.

곱셈식으로 나타내면 첫째는 2×1, 둘째는 3×2, 셋째는 4× 3 , 넷째는 5 ×4이므로 다섯째는 6 × 5 로 나타낼 수 있습니다.

6 하은이는 여섯째 배열에서 바둑돌을 몇 개 사용할까요?

순서에 1을 더한 수와 순서를 나타내는 수를 곱하면 되므로 여섯째 바둑돌의 수는 7×6=42(개)입니다. (42)개

형성평가 1회 65

66쪽 · 67쪽

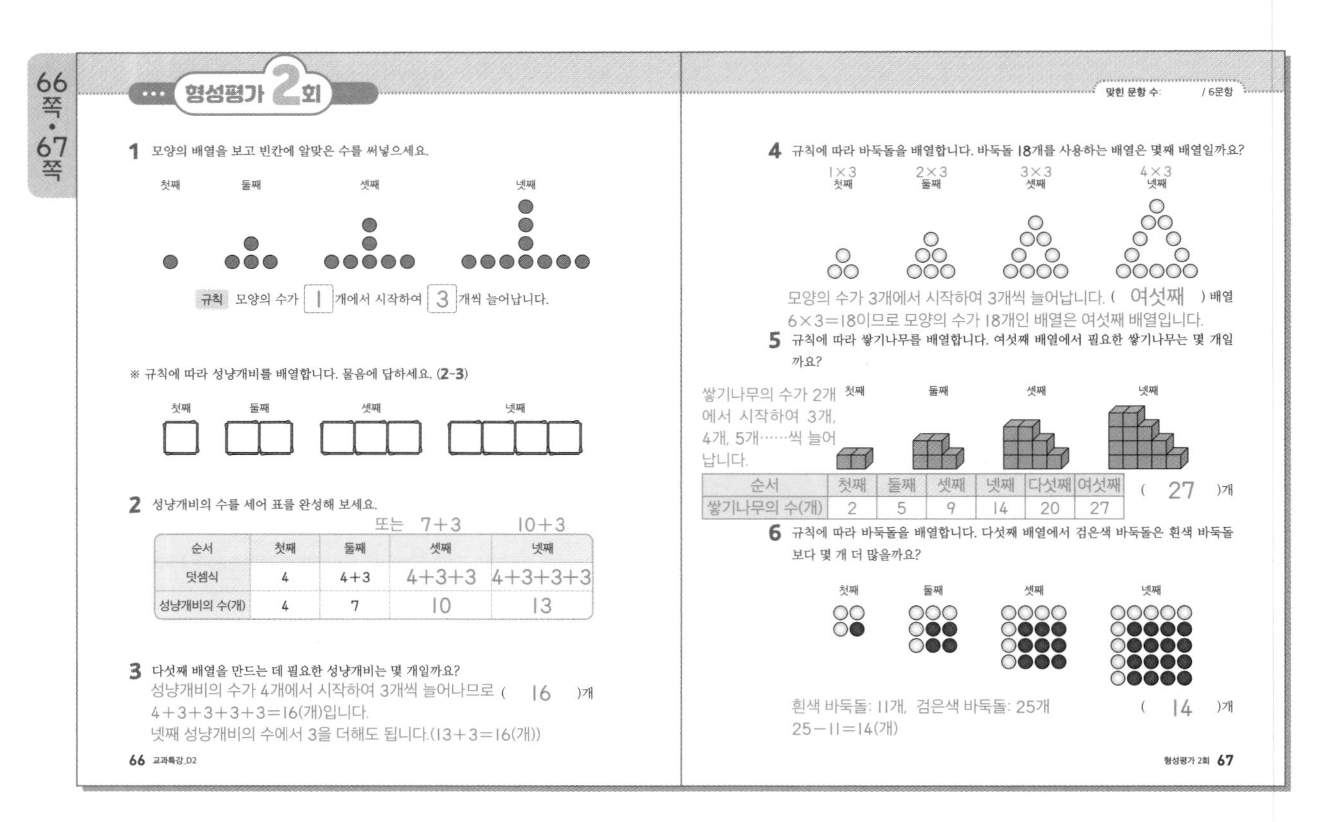

형성평가 2회

맞힌 문항 수: / 6문항

1 모양의 배열을 보고 빈칸에 알맞은 수를 써넣으세요.

첫째 둘째 셋째 넷째

규칙 모양의 수가 1 개에서 시작하여 3 개씩 늘어납니다.

※ 규칙에 따라 성냥개비를 배열합니다. 물음에 답하세요. (2~3)

첫째 둘째 셋째 넷째

2 성냥개비의 수를 세어 표를 완성해 보세요.

또는 7+3 10+3

순서	첫째	둘째	셋째	넷째
덧셈식	4	4+3	4+3+3	4+3+3+3
성냥개비의 수(개)	4	7	10	13

3 다섯째 배열을 만드는 데 필요한 성냥개비는 몇 개일까요?

성냥개비의 수가 4개에서 시작하여 3개씩 늘어나므로 4+3+3+3+3=16(개)입니다. (16)개

넷째 성냥개비의 수에서 3을 더해도 됩니다.(13+3=16(개))

66 교과특강_D2

4 규칙에 따라 바둑돌을 배열합니다. 바둑돌 18개를 사용하는 배열은 몇째 배열일까요?

1×3 첫째 2×3 둘째 3×3 셋째 4×3 넷째

모양의 수가 3개에서 시작하여 3개씩 늘어납니다. (여섯째) 배열

6×3=18이므로 모양의 수가 18개인 배열은 여섯째 배열입니다.

5 규칙에 따라 쌓기나무를 배열합니다. 여섯째 배열에서 필요한 쌓기나무는 몇 개일까요?

쌓기나무의 수가 2개에서 시작하여 3개, 4개, 5개……씩 늘어납니다.

첫째 둘째 셋째 넷째

순서	첫째	둘째	셋째	넷째	다섯째	여섯째
쌓기나무의 수(개)	2	5	9	14	20	27

(27)개

6 규칙에 따라 바둑돌을 배열합니다. 다섯째 배열에서 검은색 바둑돌은 흰색 바둑돌보다 몇 개 더 많을까요?

첫째 둘째 셋째 넷째

흰색 바둑돌: 11개, 검은색 바둑돌: 25개

25−11=14(개) (14)개

형성평가 2회 67

초등 수학 핵심파트 집중 완성 교과특강

"교과수학을 완성합니다."

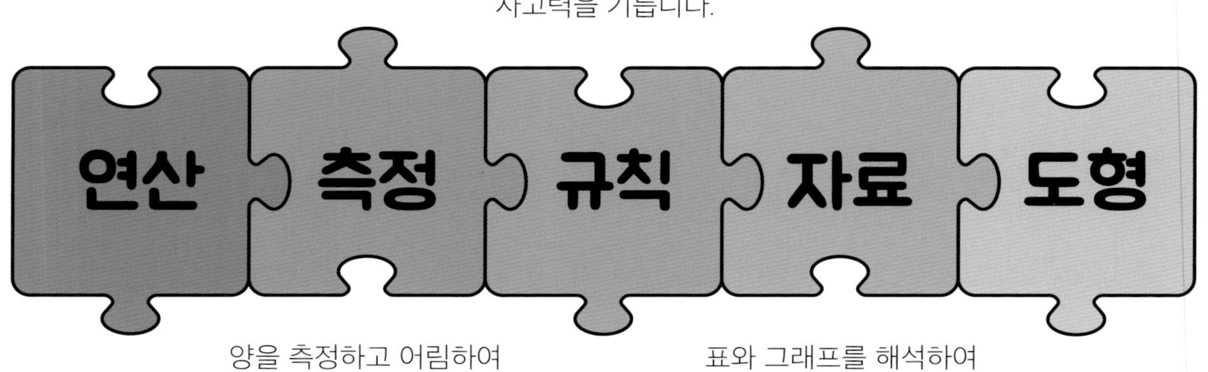

수와 도형의 배열에서 규칙을 찾아
사고력을 기릅니다.
연산
측정
규칙
자료
도형
양을 측정하고 어림하여
실생활의 수 감각을 기릅니다.
표와 그래프를 해석하여
추론능력을 기릅니다.